les femmes dans ce recueil, veulent être aimé. Elles cherchent l'amour.

le language cne est moins choquant, plus on lit les nouvelles. On arrive à mieux apprécier le fond de chaque histoires.

Il y a deux nouvelles qui se démarquent par leur forme. Toutes les deux sont écrites sous forme de listes. En quelques mots, le message est transmis au lecteur. Bien que l'approche peut paraître froide et distante, le fond l'est moins. On arrive à cerner la personnalité des deux personnages par les mises en scène et les anecdotes. [4°] Celles-ci peuvent paraître anodines, mais les listes se terminent par une vérité et qui rappelle au lecteur que les deux femmes peuvent être dolées d'une sensibilité

Chloé Savoie-Bernard

Des femmes savantes

nouvelles

triptyque ·

Triptyque remercie le Conseil des arts du Canada
et la SODEC pour leur soutien financier.

Gouvernement du Québec
Programme de crédit d'impôt pour l'édition de livres – Gestion SODEC

SODEC
Québec ✸✸

Nous reconnaissons l'aide financière du gouvernement du Canada
par l'entremise du Fonds du livre du Canada pour nos activités d'édition.

Financé par le gouvernement du Canada | Canadä

Triptyque est une division du Groupe Nota bene.

Zoé est une femme douée, il n'y a aucun doute. C'est nettement insuffisant, au-dessous de tout pour prendre la parole en son nom.

France Théoret

Their problem is that they know too much, but also know that this knowledge protects them from nothing.

Matias Viegener

Tu baignes dans la lumière

Je suis désolée, c'est encore une autre histoire de cinglée, je sais bien, been there done that, Sylvia Plath en écrit déjà et a eu au moins la décence de faire ce que je n'accomplirai jamais. Que je l'ai lue, ma belle Sylvia, tant et tant que j'ai eu l'impression que nous étions faites de la même chair, toutes deux blondes, toutes deux trop intelligentes, c'est ce que me répète ma psy, que mon intelligence ne m'aidera pas à guérir, que j'ai tenu mon intelligence à bout de bras toute ma vie comme un rempart entre moi et les jours, qu'il faut que je la délaisse pour entrer en contact avec ce que je ressens. Elle me dit que mettre une chape sur mes émotions comme je le fais, en tout temps, ne me donne qu'envie de mourir, elle me dit qu'évidemment, lorsque la cloche de verre craquèle et laisse filtrer ce que je retiens, mes émotions explosent, me court-circuitent, me donnent envie d'en finir. Il faut que j'apprenne à me tenir plus proche de ce que je sens et les livres, même s'ils dessinent le patron de mes émotions, sont des objets extérieurs à moi. Il faut que je les ferme pour apprendre à vivre. Sans doute faut-il arrêter, un jour, d'accompagner de ses larmes celles des mortes. Sans doute faut-il se pleurer toute seule. La lecture de Sylvia me berce et donne forme à mes jours, mais je n'allumerai pas le four et ne laisserai pas tranquillement le gaz s'infiltrer dans mes poumons. Je ne sais pas si on survit à la mort violente des écrivains qu'on aime, mais je ne me sens pas la force de répéter l'histoire. Je dois fermer les livres. Quitter la littérature.

Et puis je n'ai même pas d'enfants à qui servir du lait chaud et des biscuits pendant que je me tue. Sorry, moi c'est pas Nelly Arcan, je ne me pendrai pas dans mon appart du Plateau, j'habite plutôt chez mes parents assez profond dans les shops Angus, là où toutes les maisons sont pareilles, briques rouges et cuisines cheaps, et de là, je vais jusqu'à l'hôpital pour suivre ma thérapie, là où sont entassées des séries de Nelly et de Sylvia, quelques-unes blondes comme elles et moi, mais aussi d'autres filles et d'autres garçons qui, eux, n'ont même pas la chance de ressembler un peu à de célèbres suicidées. Tandis que moi, j'ai les cheveux cotonneux et les yeux aryens des deux mères qui m'allaitent d'arsenic, qui me langent en foutant des clous dans mes couches. Je suis comme elles, mourir est mon obsession, mourir est la pierre précieuse que je frotte dans ma poche quand tout va mal. Oui, je me suis reconnue dans les mots de Sylvia et de Nelly, mais j'en ai ma claque : tournons la page, changeons d'histoire. Le suicide est démodé, je sens que le vent tourne, que des mains délicates soulèvent le couvercle qui enserre mon cœur et le laissent de temps en temps respirer un peu. Je tente le tout pour le tout, je m'essaie à la dissociation, je regarde mes Gorgones dans les yeux, Sylvia et Nelly, mes toutes belles, je les fixe et je me brûle tant et tant que je finirai bien par être immunisée. Je me fiche d'être calcinée si c'est pour être une fois pour toutes débarrassée d'elles. Bientôt, je lirai autre chose, je lirai des romans historiques, je lirai de la chick lit, à la fin de l'histoire, la fille fourrera avec un gars imparfait mais qui l'aime vraiment, il sera probablement technicien pour Vidéotron et j'en soupirerai d'aise. Les auteures de chick lit ne se suicident jamais, ce sera un soulagement, il me tarde de commencer à rêver à mon prince charmant et non plus de rêver à mourir.

Pour ne pas finir comme Sylvia et Nelly, je me soigne trois fois par semaine à coups de visites chez la thérapeute ; oui, je suis folle, mais peut-être qu'un jour je ne le serai plus, c'est mon souhait dérisoire. J'aurais aimé que mes mères puissent m'aider au lieu de me nuire. C'est que, pour être certaines que je ne me perde pas en route, elles ont semé des petits cailloux qui me conduisent jusqu'à l'abîme, mais que voulez-vous, je suis folle, folle de même, je veux défaire le sort, je veux vivre, alors je vais à Rivière-des-Prairies, même si c'est un long chemin. D'abord, je marche quinze minutes pour aller jusqu'à la 139 qui monte Pie-IX jusqu'à Henribou, ensuite, de Henribou, je prends la 48 Perras et une fois montée, j'en ai encore pour une bonne demi-heure dans l'autobus à observer par la fenêtre toute la laideur de Montréal-Nord. Et ce n'est pas en regardant la grisaille et les commerces qui ont tous l'air en banqueroute que j'ai plus envie d'appartenir au monde du dehors, ce n'est pas en regardant à l'extérieur de l'auto-bus que j'ai envie d'appartenir au monde tout court. Chaque fois que j'y monte, je mets mes deux mains sur les rebords du siège, je m'y agrippe parce que je suis prise tout entière par l'idée d'ouvrir la fenêtre, de respirer pour une dernière fois l'air de la ville, de répondre à l'intimation de mes mères en me lançant du véhicule en marche, de prier qu'une voiture daigne broyer mon corps. J'imagine mon corps en bouillie et c'est la joie ; mais comme par-dessus tout je veux être ma propre souve-raine, ma propre mère, j'enfonce mes ongles dans la cuirette bleue et je tente de penser à autre chose, de fixer mon attention sur n'importe quoi sauf sur les chemins pavés par deux suicidées.

Alors, les mains refermées sur mon siège, je regarde les troupeaux de petites blondes qui montent dans le bus dès Henribou et qui s'assoient tout près de moi, des petites blondes, des grandes brunes aussi, mais elles, elles ne sont filles ni de Nelly ni de Sylvia, ça se voit, ça se sent. D'une part parce qu'elles sont en groupes et piaillent et rient, bien entendu, mais il y a autre chose, moi aussi je peux faker d'être crampée, je suis pas conne, suffit de respirer et de contracter les muscles de mes lèvres, tout le monde est capable. Ça se passe au-delà des rires, au-delà de la communion avec leur cellulaire qu'elles vérifient aux vingt secondes comme pour dire : regardez, regardez-moi avoir une vie, les gens veulent me parler, communiquer avec moi, regardez, regardez comme je suis en demande, combien on me veut. Je parle d'autre chose encore, de quelque chose qui se lit dans leur posture, leurs omoplates tirées vers l'arrière qui redressent leurs corps comme un appel à recevoir la lumière, comme si c'était naturel d'avoir droit à cette lumière dans la grisaille de Montréal-Nord, comme si ce n'était pas indécent, d'une violence innommable envers moi. Je clashe dans ce décor en ne faisant presque rien, en regardant par la fenêtre, puis en les dévisageant, parce qu'elles sont mon salut, mes talismans, mes empêcheuses de crever. Leurs piaillements couvrent presque les voix de Nelly et de Sylvia, je les entends toujours mais en sourdine, tandis que j'observe ces petites blondes, ces grandes brunes en me disant, Pourquoi elles et pas moi, pourquoi elles et pas moi, les omoplates vers l'arrière, un cell avec des copines qui textent des trucs qui font glousser, je ne dis rien, je les regarde et je sais que pour n'importe qui, sans doute pour elles aussi, j'ai l'air de faire partie de la gang, d'avoir l'habitude d'aller dans les mêmes bars en montrant moi aussi au doorman une ID piquée à une sœur ou à une cousine, pour aller prendre des shooters de Sour Puss qui font dégueuler dans les toilettes quinze minutes après les avoir avalés, moi aussi j'ai l'air de penser au prochain exam de statistiques, ou de philo, ou de français, ou à mon lab de chimie, ou aux vêtements en solde chez Urban Outfitters, j'ai l'air d'être comme elles, puissante et légère. Personne ne dirait que je dois tout faire pour m'empêcher de mourir.

Rien ne me différencie d'elles à première vue, si on n'est pas soupçonneux, si on ne vient pas gratter la surface. Moi aussi, comme elles, j'ai un iPod où je fais tourner les mêmes chansons, moi aussi, j'ai du vernis kaki sur les ongles et une full belle parka vintage, moi aussi, moi aussi, moi aussi, et bientôt, peut-être, je sortirai de mon ADN l'envie de crever, je l'extirperai au pied-de-biche, je sortirai tout ce qui de Sylvia et de Nelly a coulé dans mon sang, je la laisserai à d'autres, leur noirceur qui m'habille, leur noirceur d'amour.

Quand je ferme les yeux, je m'imagine très bien ne plus être fille de Nelly et de Sylvia, je renie mes mères comme elles me renieront lorsque je ferai comme toutes ces filles de mon âge dans l'autobus. J'espère qu'elles rompront leur sort, qu'elles me déshériteront une fois pour toutes après que je serai restée dans la 48 Perras un arrêt de plus que je ne le fais habituellement ; ces filles vont toutes au cégep, un arrêt passé l'hôpital – à cinq minutes à pied de l'hôpital de RDP –, quand moi je descends avant elles, à cet arrêt où il n'y a rien d'autre que la maison de mes deux mères et des autres fous. Chaque fois que je dois sonner pour avertir le chauffeur que je descends à cet endroit, l'attention des filles dévie sur moi, c'est comme si je venais de leur dire, Regardez-moi, je ne suis pas comme vous, mon imposture se révèle, allez-y, regardez-moi, et c'est toujours pareil, j'essaie de me concentrer sur quelque chose, de me dire, Respire, Coralie, tout est blanc, tout n'est que blanc, il n'y a rien d'autre que du blanc – et je me lève de mon siège, j'attrape mon sac, j'essaie de croire que personne ne me fixe, qu'elles ne sont personne, je descends de l'autobus, je marche dans le parking pour aller à mon rendez-vous avec la psy, j'essaie d'oublier tout ce qu'il y a autour de moi, de me chuchoter que tout est blanc, je me dis des choses douces, que je ne suis la fille de personne, De qui je voudrai, je serai la fille, je me dis, Il n'y a rien, Coralie, aucun obstacle, tu es nulle part, tout n'est que blanc, allez, redresse tes épaules, tout n'est que lumière. Tu baignes dans la lumière, Coralie.

Retrouvailles

Il l'a invitée comme ça, au téléphone, brusquement. Ils ne se parlent qu'une fois tous les deux ou trois mois, environ, par égard au temps passé ensemble. Par politesse. Tu viendrais prendre un thé avec moi, qu'il lui a demandé, et elle a accepté.

Ils ont fixé une date. Presque une année qu'ils ne se sont pas vus. Elle est arrivée chez lui et maintenant ils sont assis, la table entre eux comme un pare-balles. Sans doute n'a-t-il jamais fait de thé auparavant, il a jeté les feuilles directement dans les tasses. Elles se détendent librement dans l'eau chaude, comme des nénuphars noirs. Il n'en boit pas, mais elle oui, par petites gorgées, en passant ponctuellement sa langue contre ses dents pour en déloger les particules.

Il a ce petit tressaillement sur les lèvres. C'est un signe de son désir, mais elle ne le regarde pas vraiment. Ils ne disent rien. Leur silence n'est pas inconfortable, puisqu'il est resté le leur, ample et enveloppant.

Il se lève, fait le tour de la table. Il l'embrasse et elle sent son corps reprendre ses vieux automatismes, elle entrouvre la bouche, lèche ses lèvres à lui. Elle comprend qu'il s'apprête à mettre les mains sous le chandail qu'elle avait choisi exprès avec un col roulé, pour ne pas être désirable.

Écoute, je voulais pas que les choses se passent de même, lui dit-elle, en faisant un petit sourire d'excuse qui se veut ferme. Mes jambes sont même pas rasées. C'est juste ça? Oui, oui, c'est juste ça. C'est surtout ça, en fait. Elle hausse les épaules, rajuste ses vêtements, se redresse. Reprend une gorgée de thé en appuyant les lèvres contre le rebord de la tasse, pour en filtrer le liquide avec les dents. Il lui dit de l'attendre, qu'il revient. Elle hausse les épaules une deuxième fois. Bien sûr qu'elle va l'attendre. Le thé est trop infusé, l'amertume râpe ses gencives. Elle le boit quand même.

Il sort. Revient une dizaine de minutes plus tard, un sac de plastique à la main, dont il sort un paquet de rasoirs multicolores. Des Bic, ceux qui coupent la peau. Les moins chers. Tu en as plein, là. Alors elle les prend, monte à l'étage, fait couler un bain, se déshabille, s'étend dans l'eau chaude. Mousse un peu de savon contre ses jambes, les étire, façon pin-up. D'un geste précis élimine la

repousse piquante. Et elle chantonne, sou-
riante, Palapalapalapam.

Sa voix contre les carreaux de porcelaine
résonne avec le même écho qu'autrefois.

Vœux

Hier, c'était le Nouvel An, mais au Nouvel An comme à Noël, j'espère une magie qui ne vient pas. Je n'arrive pas à me convaincre que c'est une date comme les autres, je n'arrive pas à m'en foutre, alors j'ai accepté l'invitation de mon amie, pour une fête quelconque où je l'ai perdue de vue dès que nous sommes entrées : elle a été gobée par le flot de ses connaissances et je suis restée seule.

Je suis allée à cette fête en me disant, Peut-être que je vais tomber amoureuse, peut-être que ce Nouvel An sera un moment décisif dans ma vie. Un point tournant. J'ai fait comme si ma vie se trouvait à la page soixante-dix-huit d'un magazine féminin quelconque, à la ligne huit du deuxième paragraphe, vous voyez, celle qui dit : « Aujourd'hui, prenez des risques, aujourd'hui est le prochain jour du reste de votre vie », et tant qu'à vivre un cliché, je me suis dit que j'allais y plonger, le vivre jusqu'au bout. J'ai choisi un garçon parmi ceux qui étaient assis sur un sofa défoncé, celui qui avait l'air le plus off, en me disant, À chaque torchon sa guenille.

Je lui ai parlé toute la soirée en anglais, il était turc et n'était à Montréal que depuis six mois. Quand tous se sont pris dans leurs bras, après le décompte, se souhaitant tour à tour une litanie de vœux identiques, Amour, bonheur, prospérité, santé – quand la santé va tout va, ont-ils affirmé avec le même aplomb –, je me suis tournée vers lui et je lui ai dit, I really don't like emotions. Il m'a dit que finalement, je n'aimais pas grand-chose, puisque je lui avais dit plus tôt que je n'aimais ni Quentin Tarantino ni Wes Anderson, que je n'aimais pas non plus, Fuck no my dear, I swear I would skip it if I could, décidément pas le Nouvel An. Que je n'aimais pas les gens, You know, qu'ils sont phony. J'aurais voulu lui dire phony comme dans The Catcher in the Rye, Tu sais, quand le narrateur est dans un cinéma et qu'il voit une vieille madame pleurer passionnément à côté de lui, même si l'enfant qui l'accompagne la supplie, au bord des larmes, d'aller aux toilettes avec lui. Elle s'en fout, parce qu'elle est trop prise avec les émotions que le film cheesy lui procure pour s'occuper de lui. Le phony de Salinger et le kitsch de Kundera, c'est un peu similaire ; j'aurais voulu savoir lui expliquer la manière dont je ressentais les choses.

Ce qui était malheureux, c'est que j'avais apporté une caisse de douze dont j'avais bu les deux tiers et que je n'étais pourtant pas suffisamment saoule pour trouver l'énergie qu'il faut pour ces discussions-là. Au fond, parmi tous ces inconnus autour de nous, j'ignorais lesquels étaient semblables au petit garçon de Salinger, et lesquels à la vieillarde. J'aurais pu lui expliquer qu'en fait, j'aimais plein de choses, selon le moment, et que là, c'en était un creux, de ceux qui contrebalancent les autres et assurent un certain équilibre, un ratio entre bonheur absolu et détresse plus ou moins totale, mais je me sentais lasse et je n'étais pas certaine que mon anglais était assez bon pour exprimer ces nuances-là. J'avais surtout peur d'être la plus phony de toutes et j'attendais un signe, n'importe lequel, pour le lui avouer. Malgré ses beaux grands yeux aux cils très longs, malgré le fait que je l'avais élu parmi tous ces gens pour amorcer l'année, je ne le désirais pas. Si j'avais été dans un meilleur état, peut-être me serais-je laissée avoir par le flux tranquille de notre conversation. Il me donnait des Winston en me parlant d'art visuel. Il aurait fallu qu'on s'embrasse, j'imagine, ou quelque chose du genre, ç'aurait été tout à fait de mise dans les circonstances, ç'aurait répondu aux scénarios universels, mais nous nous en sommes tenus à parler à bâtons rompus dans cette langue qui n'était ni la mienne ni la sienne. À un moment, je me suis levée, je lui ai souhaité une très bonne année. J'étais sincère. Je suis partie sans chercher mon amie pour lui dire au revoir.

La fête était à Saint-Henri et je suis allée dormir à l'appartement de ma sœur, à LaSalle, pour économiser le montant d'une course de taxi. Le chemin à pied était plus long que ce que j'avais prévu, et lorsque je me suis couchée, épuisée, dans sa chambre d'amis, c'était presque l'aube. Le lendemain, j'ai paressé tard dans un lit sans draps, toute pelotonnée dans mon corps. Le grand appartement était vide ; ma sœur dormait chez son copain. Je me suis levée vers midi, surprise de voir que je m'étais couchée sans me déshabiller. Mes vêtements de la veille sentaient fort les cigarettes fumées coup sur coup, et j'ai vu dans le miroir de la salle de bain que mon t-shirt blanc portait deux petites taches de bière rousse.

En approchant mon visage de la glace, je me suis aussi rendu compte que mon eye-liner était toujours sur mes paupières, la ligne miraculeusement aussi intacte que la veille, et je me suis dit qu'il fallait que j'arrête d'être aussi pessimiste. Si Lancôme tenait ses promesses, probablement que la vie le pouvait aussi ; si

Lancôme ne me décevait pas, peut-être que rien ne le devrait. Pas même – et surtout pas – moi. Je me suis souri dans le miroir, et en étirant les lèvres, j'ai goûté mon haleine de bière et de cigarette. J'ai cherché le dentifrice sur le lavabo encombré, j'en ai déposé un peu sur l'extrémité de mon index et je me suis regardée me laver les dents, en me souhaitant vraiment tout un tas de choses pour l'année à venir. Tout un tas de choses.

Être une chatte

Tu m'aimes, tu me dis Mon amour, tu m'aimes plus que tout, tu me parles de ma beauté, Tu es la plus belle, mon amour, je ne désire que toi, on fait l'amour la journée durant dans le sous-sol chez tes parents, ma peau qui transpire colle au cuir du divan, on fait l'amour partout parce qu'on ne peut pas attendre, le désir ne nous lâche jamais, nous attaque, je n'ai pas de fond, je suis toujours creusée par ce désir qui élance, le désir est une blessure comme une autre. Le temps manque quand le sexe nous arrache à nous-mêmes, on n'a le temps de rien, pas même celui de changer de pièce si ça nous prend pendant qu'on cherche dans la chambre de ta sœur du feu pour allumer mes cigarettes que j'irai fumer dans le garage près d'une fenêtre ouverte, Faut pas que ça sente nulle part. Flusher mes mégots. J'ai encore perdu mon briquet, je perds toujours mes briquets. Ta mère n'apprécierait pas que tu sortes avec une fumeuse, on cherche du feu dans la chambre de ta sœur, oui, on en trouve dans le troisième tiroir à gauche de sa commode, en le prenant tu me frôles le bras et direct le désir me serre le ventre, je me fais des abdos à te désirer, et on fourre dans le lit de ta sœur parce qu'on n'a pas le temps de marcher les dix mètres qui mènent au tien dans la pièce d'à côté, ta sœur s'en rend compte, me dis-tu, la journée même, Ça sentait trop le sexe, à partir de ce moment-là, elle qui ne m'aimait pas tellement ne m'aime plus du tout. On fourre beaucoup, jusqu'à ce que nos sexes nous fassent mal. Parfois, on continue après, tant pis, soyons irrités, n'ayons peur de rien. Une fois, ton pénis est entré en moi par un drôle d'angle, tu t'es retiré en criant de douleur et moi je me suis mise à saigner, j'ai mis mon index dans mon sexe puis j'ai observé le sang sur mon doigt, on ne voit que trop rarement ce qui sort de soi. Tu as appelé Info-Santé pendant qu'avec mes doigts, j'essayais de trouver dans mes muqueuses l'endroit précis de la lacération, là où tu m'avais coupée. Ils t'ont demandé si j'avais mes règles, et nous avons tous deux été pareillement insultés qu'ils nous croient si stupides. Tu m'as blessée de trop de violence, qu'on se le tienne pour dit, qu'ils comprennent donc, on voulait juste savoir jusqu'à quel point c'était dangereux.

Toi et moi, on se quitte souvent, des cris, des pleurs – les miens, je ne t'ai jamais vu pleurer mais moi je pleure tout le temps.

Lorsque tu es apparu, je me suis incarnée dans tout ce que je pressentais de moi mais n'avais pu circonscrire, je savais que j'étais cette fille-là d'une manière floue et informe avant de te connaître, mais en t'aimant j'ai laissé tomber plusieurs mues et j'ai surgi dans toute ma splendeur, vulnérable, scarifiée, tu m'as prise et placée au cœur de ma douleur. Devant tes yeux, pour eux, en eux, j'ai commencé à faire ce dont j'avais toujours eu envie. Maintenant que j'avais un témoin, je pouvais jouer avec l'élastique de l'amour que tu avais pour moi, jouer jouer jouer, tester les limites, voir jusqu'où je pouvais aller dans ma petite destruction, Quand auras-tu trop peur de moi? M'aimeras-tu encore même si je coupe mes bras juste avant de venir chez toi, que les plaies que je ne laisse jamais cicatriser s'ouvrent lorsqu'on fait l'amour, Oui, tu m'aimes peu importe, tu me répètes, mais, M'aimeras-tu toujours même si je pleure chaque fois que je jouis, tu me dis, Oui, tu m'aimes toujours, Oui, tu m'aimes toujours plus, peu importe le sang et mes envies de mourir. Tu veux me protéger de moi, mais en même temps tu as envie de me taper, de secouer tout ce potentiel que j'ai et qui reste tapi, toute cette tristesse que je recèle, alors quand on fourre tu me brasses trop et me donnes le goût de l'amour qui fait boum, d'être tapée, étranglée, plus tu me serres la gorge plus je jouis. Dans le théâtre de ma souffrance, j'ai le premier rôle, pourtant je suis spectatrice comme toi, je me regarde aller et suis subjuguée, je fonce et vais droit dans la douleur, j'en prends plein la gueule et en redemande, mon corps en porte les marques, beaucoup de bleus, des ecchymoses, et je te dis de me frapper plus fort, parfois tu refuses et je boude, sur la corde raide du cours des jours je m'enfarge avec délectation, tomber par terre, me tordre la cheville et boiter pour le reste de ma vie, je me fais mal avec tant de grandiloquence que je ris de moi-même, C'est rigolo, cette détresse, n'est-ce pas, mon amour, parfois je suis heureuse, oh si heureuse, mais l'envie de mourir revient très rapidement, je veux mourir tout le temps, ça t'inquiète, on ne sait pas quoi faire lorsque son amour veut s'enlever la vie, et c'est vraiment ce que je veux faire, stopper ma vie, extraire le cœur de la douleur comme, plop, le noyau de l'avocat mûr.

Il aurait fallu que je puisse retirer mes mauvaises pensées comme on enlève le gras au-dessus du bouillon de poulet refroidi, si seulement je pouvais prendre une cuillère, oui, enlever l'envie de mourir et que tout le reste demeure assis en moi, toi et mes amies et les choses que j'aime, les livres peut-être, petit bouillon de poulet pour l'âme sans le gras, comment ne garder que l'essentiel? Tu ne sais plus quoi faire, tu te sens seul avec ma solitude, comme je te comprends, Je me sens constamment seule, mon amour, seule et froide. Tu dépenses tes paies pour m'offrir des sorties au resto, la nourriture me calme et me console, j'aime les pâtisseries de chez Patrice Demers et le poulet aux arachides des restos asiatiques, nous restons des heures dans les cafés à boire des latte à cinq dollars, ils prennent la carte de crédit, je n'ai jamais d'argent, Visa m'aime, j'en suis certaine, une fois tu m'as appris près des baklavas rances du Café Noir sur Mont-Royal que tu m'avais trompée avec telle et telle fille, Elles sont jolies, c'est certain, je ne pouvais qu'acquiescer, ce n'est pas moi qui allais le nier, Je te comprends, la beauté me calme et me console comme toutes les choses que l'on peut mettre dans sa bouche. C'est parce que je suis si difficile, tu me dis, Difficile à gérer, difficile à lire, difficile à comprendre, tu as besoin de soupapes, alors tu fourres ailleurs. Dans les trous des autres, oublies-tu que tu crains constamment pour ma vie, tu m'aimes, tu me dis, tu m'aimes plus que tout, les autres filles ne sont rien, je suis la plus belle, tu n'aimes que moi. Je comprends tout ce que tu dis, mais je me mets à pleurer quand même et tout de suite je vais me faire vomir dans les toilettes éclairées aux blacklights pour ne pas que les junkies puissent distinguer leurs veines lorsqu'ils veulent se piquer, on cherche à préserver les gens, mais moi, pour me faire dégueuler, peu importe la lumière, mes doigts dans ma gorge suffisent, ils goûtent encore sucré des pâtisseries qu'on vient de s'enfiler. Tu m'attends de l'autre côté de la porte, une mince porte de bois qui laisse filtrer, j'en suis sûre, le bruit de mes vomissements. Que mes haut-le-cœur te punissent, mon amour, d'avoir envie des autres, qu'ils me punissent, mon amour, de jouer à la folle comme on joue à raser et à abîmer sa Barbie. Ensuite j'ouvre la porte, tu me prends par la main, au comptoir on demande un verre d'eau pour que je puisse me rincer la bouche. Je m'excuse, je te dis, Je suis désolée, vraiment désolée. Tu me dis que ce n'est pas grave et tu as l'air préoccupé. Désespéré aussi, mais tu ne t'excuses pas d'en avoir fourré d'autres parce que tu avais trop peur que je me tue. C'est moi qui suis désolée, désolée pour ces filles qui ont été des pions dans tes bras, qu'un remplacement de moi, une chance qu'il y a un karma, un jour très rapidement c'est moi qui serai le placebo d'amours perdues, on couchera avec moi pour oublier d'autres peaux et ce sera bien fait pour moi.

Une fois tu m'as dit que j'étais une vampire, que je prenais ce qu'il y avait de bon chez les autres pour les jeter ensuite, ces mots résonnent encore souvent en moi, ne se résolvent pas, mon amour. Avant toi, je savais que je n'étais pas bien, mais d'une manière diffuse, jamais je ne le disais, c'était un secret qui, ample et vaste, prenait place en moi, m'empêchait de respirer, Je suis pas bien pas bien pas bien, une fois de temps en temps, je faisais une grosse crise de larmes, enfant, adolescente, mes professeurs ont souvent dit à mes parents que j'étais un presto, que j'accumulais tout pour exploser d'un coup ; est-ce qu'alors surgissent non seulement des larmes, mais aussi le sang que je contiens ? Celui de ceux que j'aime, la substance vitale des autres que j'absorbe pour me remplir, me tenir à flot ? Quand j'explose, qu'est-ce que je dévoile, mes entrailles pavent-elles des chemins, et qui mènent vers quoi ? Je te le demande. Peut-être jadis chaque explosion me rapprochait-elle de toi. Et puis j'ai explosé un peu moins, ou seulement par intermittence, peut-être, à n'exploser que quand je fourrais. J'ai commencé à aller un peu mieux, on ne peut pas être aussi à vif pour toujours, la chair finit par recouvrir la plaie, on cicatrise, Que veux-tu, c'est le processus normal, non ? Et la crise, cette crise-là, où tu me portais à bout de bras, moi friable en morceaux recueillis dans tes mains, a duré quelques années, jusqu'à ce que tu m'aies assez tâtée, assez frappée, assez caressée pour que je sois assemblée de nouveau. Réunie en une nouvelle structure, j'étais une version différente de moi-même et je ne t'aimais plus. Une fois que j'ai été convaincue de ton amour, convaincue qu'on pouvait m'aimer réellement, profondément, une fois que j'ai été imprimée durablement sur ta rétine, et même si je flirtais toujours plus avec la mort qu'avec l'amour, eh bien, mon amour, je t'ai quitté une fois pour toutes.

Sur le coup, personne ne me croyait, tout le monde disait que nous allions revenir ensemble, que ce n'était qu'une chicane un peu plus intense, qu'un arrêt momentané avant que le cours des choses ne reprenne et nous reprenne avec, mais je t'ai quitté, je savais que je ne pouvais pas aller mieux avec toi, tu avais trop vu, trop su mes détresses, tu les connaissais trop. Tu étais un témoin gênant et il est vrai que j'avais sucé tout ton sang. Ton corps n'était plus irrigué par rien, je t'ai laissé seul sur le trottoir alors que j'aurais dû encore une fois ouvrir mes bras pour t'abreuver. J'ai préféré te laisser tomber. C'est toi qui as raison, j'ai été vampire et t'ai rendu étrangement esclave de mon amour, des années durant tu me téléphoneras, me disant que tu m'aimes encore, jusqu'à ce qu'agacée, excédée, je te dise de ne plus jamais m'adresser la parole, de perdre mon numéro de téléphone. Oublie le goût de mon sang, mon amour, oublie le goût de mon sexe. Ensuite je n'ai jamais plus entendu parler de toi, mais peut-être m'as-tu jeté un sort, après toi je n'ai plus su comment aimer et je me demande comment l'amour se crée, je ne sais pas de quoi il est fait, à partir de quelles émotions il s'assemble, pourquoi pour moi il s'est associé très rapidement aux coups qu'on me donnait, que j'en prenne plein la gueule, j'en veux toujours plus, Tire-moi les cheveux, empêche-moi de respirer, je prends les mains de ces garçons que j'amène dans ma chambre et les plaque sur ma gorge, sur mon visage. Les garçons, je les préfère meurtris, en peine d'amour, la tête pleine d'autres filles à qui je ne ressemble jamais, on me le dit souvent, je suis unique en mon genre. Je suis spéciale. C'est que je suis le rebound de tout Montréal et je veux qu'on me frappe dans la face en fourrant. La plupart des garçons refusent de suivre l'élan que je donne à leurs mouvements, ils refusent la violence ou ne l'acceptent que pour un temps, pour une baise. Lorsqu'on se revoit, ils veulent de la tendresse, ne veulent plus me rouer de coups, Dès que vous refusez de me claquer, qu'est-ce que vous m'ennuyez, les cocos. Je crois que je leur fais peur; je préfère le fisting aux je t'aime. Je veux sentir leurs ongles grafigner les parois de mon sexe, je souhaite voir les traces de leurs dents imprimées sur moi, qu'on reparte avec ma peau sous les ongles, la saveur de ma chair comme un arrière-goût dont on ne peut pas se défaire.

Si désormais je ne me coupe plus, si je n'ai plus envie de mourir, si je croque la vie à pleines dents, c'est sans doute que mes envies de crever se calment ou n'existent que dans mes baises. Le lit délimite la seule trinité à laquelle je tienne dur comme fer, amour sexe et mort, la seule trinité qui vaille, sur le bord de la mort, quand mon sexe exulte, c'est là que je me sens le plus vivante, oui, il y a quelque chose de pourri dans les lits que je fréquente, dans les lits où je me couche, dans les lits où j'écarte les jambes, jusqu'à tant qu'on me dise que je fais peur, jusqu'à tant qu'on me chasse, qu'on me bannisse et qu'à moi, on préfère les filles qui fourrent en missionnaire, qui four- rent en regardant le plafond, qui fourrent sans déranger, sans pleurer, sans baver, qui fourrent sans avoir mal.

Si durant ces années je suis tombée amoureuse une fois, c'est de mon ami, de mon seul ami, de l'ami qui me sauve la vie, mon seul ami garçon parmi ma mare d'amies filles, lui et moi on se raconte nos histoires, il trompe toujours les filles dont il est amoureux, je ris de lui, lui dis de ne plus sortir avec les filles, mais de seulement les fourrer, Fourre sans rien promettre, mon ami, sois du côté de l'impunité plutôt que de l'engagement, l'engagement endolorit ces filles qui tombent amoureuses de lui comme on aime sa lèpre, comme on aime sa maladie, il endommage les filles et s'endommage en même temps de se savoir aussi salaud, et nous rions de ne pas savoir être amoureux tous les deux. Parler de nous sans nous toucher, ça, c'était le bon temps.

Le bon temps s'est arrêté une soirée de trop de boisson où on a fourré dans la ruelle derrière le VV Taverna, de leur balcon arrière j'imagine que quelques bons pères de famille de Rosemont m'ont vue me faire mettre, j'étais triste, je venais de laisser un énième garçon, je laisse beaucoup de garçons, parfois aussi je ne les rappelle tout simplement pas, ou bien c'est eux, et nos liens s'effritent dans une indifférence toute silencieuse. Même si les garçons, c'est comme les punaises de lit à Montréal, il y en a partout, j'en retrouve toujours de nouveaux très vite, ce soir-là je me sentais froide et seule tout de même, alors avec mon ami on a fourré dans la ruelle et puis un peu au cours de l'été, puis en septembre aussi. Quand on fourrait, si je donnais un élan à sa main pour qu'il me l'envoie en pleine face, il ne résistait pas, pas plus qu'il n'a résisté lorsque je lui ai demandé d'ajouter d'autres doigts, de prendre sa main au complet pour me baiser, il ne s'est pas arrêté lorsqu'il m'a pénétrée en faisant claquer mon utérus, ne s'est pas arrêté quand j'en ai pleuré et lui ai ordonné d'aller plus fort, plus profondément. Il l'a fait. Plus il me frappait, plus je donnais forme à l'homme qu'il avait toujours pressenti être, mais n'arrivait pas à atteindre, je lui ai donné la chance d'être le batteur de femmes qu'il avait toujours été. Ce n'était plus le cœur des filles qu'il brisait, charitable et miséricordieuse que je suis, je lui ai offert l'occasion de briser aussi des corps : à l'autel des filles sacrifiées, c'est mon corps que j'ai présenté le premier. Brisons fond et forme, mon amour, brisons tout.

Mon sexe a saigné un été durant, il le lacérait de ses ongles trop longs. Pas question de les couper, et pas davantage, cette fois, de s'inquiéter que ce soit dangereux. On jouissait comme des cochons. À la fin de nos fourres, on se donnait des high five, on se félicitait. Il m'en redemandait toujours plus, fasciné par mon corps qui ne s'arrêtait jamais. De la violence, se remet-on toujours ? Je ne sais pas. Avide, je demandais qu'il me frappe encore, et très rapidement, j'ai eu envie de l'appeler Mon amour, mais cela, il ne me l'a pas laissé dire, il ne voulait pas de mon cœur, il voyait toujours d'autres filles qui tombaient amoureuses de lui. J'ai rejoint docilement la file indienne des plottes prêtes à se faire déchiqueter le cœur par ses dents trop droites, des autres filles j'avais vent, Montréal ce village dans lequel rien ne reste tu très longtemps, et les autres filles, il ne les cachait pas vraiment, elles jaillissaient sur son cellulaire quand j'étais avec lui, poppaient sur Facebook quand on regardait un film sur le laptop, ding, le son d'une nouvelle notification, les autres filles le saluaient partout où nous allions, il marchait dans les rues du Plateau comme un prince dans son fief, comme un pacha dans son harem avec moi, sa concubine préférée, à son bras. À ces filles, jamais il ne me présentait. Avec lui, devant les autres, je n'ai jamais eu de nom. Je me rendais évidemment compte de tout, mais des autres je faisais fi, Peu m'importe, me disais-je, Nous sommes amis et ce statut me sauve, ce statut m'élit, Il m'aimait avant le sexe, avant l'amour, il m'aime pour de vrai, me disais-je, et j'étais convaincue que personne en ville ne pouvait le faire venir comme moi, on vient toujours plus fort en frappant, on vient toujours plus fort au bord de la mort. Mourir en fourrant, ma spécialité, de cela aucune fille à Montréal ne pouvait me défaire, dans cela j'étais certaine de ma primauté. Je crevais en fourrant mieux que personne, j'en étais certaine, car lui et moi n'arrivions pas au bout de notre désir qui comme un fil d'or nous reliait l'un à l'autre, nos ventres en redemandaient et que c'était bon de les regarder se goûter, se manger, la violence est une dévoration comme une autre.

Il me disait lui aussi que personne ne fourrait comme moi, Nous deux ensemble c'est comme rien d'autre, et j'étais si heureuse, je croyais qu'il allait tomber amoureux de moi, lui qui tombait amoureux de toutes les filles, mais quand j'ai soulevé la question, la question de notre amour, il l'a balayée, a dit qu'il n'en était pas question, qu'il n'était pas prêt, que j'étais son amie, sa belle amie, qu'il pensait à moi comme à une sœur et on a continué à fourrer, la mort dans l'âme, la mort au sexe. Peut-être était-ce que contrairement aux autres filles, je connaissais ses problèmes, sa fidélité déficiente, peut-être parce qu'avec moi il ne pouvait pas jouer, j'étais un témoin gênant, mais moi je l'aimais dans cela, dans ses failles béantes que je voyais et pouvais frôler, mon amour plongeait dans son abyme, s'y abreuvait.

Mais je n'arrivais pas à renoncer à ce qu'il m'aime. Où le conservait-il, son amour, en était-il jaloux, peut-être le gardait-il dans ses couilles qui se remplissaient si vite, lui qui me baisait trois, quatre fois par nuit, peut-être me déversait-il son amour en me jouissant dessus, sans doute était-ce là le problème, son amour je le lavais quand je me douchais, il partait en même temps que je lavais son sperme, j'en étais certaine, son amour ne pouvait être absorbé, ne rentrait pas en moi et j'en avais besoin comme un oiseau sa becquée, j'avais faim d'amour, alors je lui ai demandé qu'on fourre plus doucement, peut-être s'il me baisait plus tranquillement son amour s'introduirait en moi avec plus de facilité, ne resterait pas à la surface des choses. Mais il ne m'obéissait pas, ne voulait pas entendre mes demandes. Ce n'était pas à moi de décider. Il a dit que de toute façon nous commencions toujours très doucement, que les premiers instants de fourre se déroulaient toujours très paisiblement, très tendrement, C'est ça qui est bon, me disait-il, ne le voyais-je donc pas le contraste entre douceur et violence. Quelques minutes après m'avoir dit ça, il a caressé ma peau et m'a dit que j'étais belle, la plus belle à Montréal, Ma jolie, m'a-t-il dit, on a couché ensemble, il m'a frappée au visage sans me demander la permission, de toutes ses forces, une baffe et j'ai senti l'écho du choc, c'est peut-être une commotion cérébrale, me suis-je dit. Sous l'impact du coup, je me suis mordu la lèvre. Dans ma bouche, ça goûtait le sang et je n'ai rien dit, j'ai continué avec mon bassin de suivre le mouvement qu'imprimait son sexe à mon corps. De ma peau trouée une fois de plus, une fois de trop, tout coulait, je ne retenais rien.

J'ai essayé d'arrêter de le voir. Il disait qu'il m'aimait beaucoup, oui, beaucoup, qu'il comprenait, oh oui, ma décision, notre relation déséquilibrée, tout mon amour pour lui qui me faisait parler de ma douleur, me faisait parler de mes amours passées, comme si nous étions toujours amis, mais nous n'étions plus amis, j'avais l'impression d'être tombée amoureuse pour la première fois, chaque fois unique la fin du monde, il me faisait parler et il buvait mon histoire comme un vampire le sang, je ne sais pas s'il avait toujours voulu être vampire ou si c'était moi qui lui avais donné le goût du sang, et moi dans son écoute je me déversais, je l'aimais de m'écouter, de me comprendre. De lui-même, depuis qu'on couchait ensemble, il ne livrait pas grand-chose, oh oui, il comprenait que je le quittais. Mais une semaine plus tard, je n'avais même pas fait mon deuil, m'habituais tout juste à son absence que déjà il revenait. Il m'appelait son petit chat. Une semaine plus tard, je l'acceptais de nouveau dans mon lit, dans mon ventre, sans rechigner sans batailler, j'étais son petit chat, son petit animal et je recommençais à mettre du fond de teint sur mes hématomes, puisque je ne pouvais pas les lécher pour qu'ils guérissent. Et puis il me disait combien j'étais belle, Tu es la plus belle, me disait-il, La plus belle en ville, mais être la plus belle n'a jamais suffi, n'est-ce pas, à ce que lui prenne l'envie de n'être qu'avec moi, Tu es la plus belle, mais jamais il n'ajoutait que j'étais son amour, j'attendais son amour comme la chose qui allait me compléter enfin, mais je restais partielle et morcelée dans son lit, jamais rassemblée par ses caresses, son corps sur le mien ne faisait que me disperser. Pour me répandre, m'empêcher de me rassembler, il y allait de tout son allant, il plongeait en moi, mais remontait toujours à la surface, je n'étais pas sûre de me trouver au même endroit que lui. Lors de nos étreintes, j'étais quelque part d'autre, quelque part d'autre où je ne me voyais pas.

Peu à peu, j'ai commencé à douter, à me demander si, hors de son lit, je continuais à exister. Je pourrais t'avaler, me disait-il parfois en fourrant. J'ai l'impression que tu es à l'intérieur de moi, répétait-il, Que tu fais partie de moi. Il ne voulait pas que je le baise en Andromaque, à cheval sur son pénis. Il me voulait sous lui seulement. Plus facile à taper. Pas de pipe alors qu'il était couché et moi au-dessus. Pour avoir le droit de goûter son sexe, il fallait que je lui donne celui de me l'enfoncer dans la gueule de tout son poids, il s'assoyait sur mon visage et je devais gober sa queue, sentir son gland frapper à répétition la voûte de mon palais et cogner ma luette, il prenait ma gorge à deux mains pour la serrer. Très vite, ça a été sa seule manière de venir, sa grosse queue jouxtant mes amygdales et ses paumes comprimant ma trachée, je pouvais passer une minute sans respirer du tout. En apnée. Parfois, il éjaculait dans ma gorge directement et je m'étouffais, d'autres fois il me venait dans le visage, sur le corps, son sperme d'amour. J'aurais dû le garder toujours en bouche, ne jamais l'avaler, m'en

gargariser éternellement. Mais je ne réussis-
sais pas, j'avalais sa dèche, ou alors j'allais
me laver, sa dèche séchait très rapidement, je
n'ai jamais vu de dèche sécher aussi vite et je
voyais là aussi combien elle était rétive, ses
seules preuves d'amour partaient avec l'eau
du bain, sans doute en ai-je pissé et chié un
peu, j'imagine que le sperme, on ne le digère
pas beaucoup, que l'intestin veut s'en débar-
rasser au plus crisse. Je gardais désormais
mes Je t'aime en bouche aussi, sans doute y
pourrissaient-ils, alors qu'il continuait à me
faire parler de moi jusqu'à plus soif, il se nour-
rissait de mes histoires, je lui disais tout sauf
mon amour, sauf ma faiblesse pour lui, il me
disait que j'étais sa meilleure amie, sa seule
amie, que j'étais tellement importante pour
lui, il était tellement fier de me connaître.
Tu es une personne extraordinaire, Tu n'es
pas comme les autres filles. Tu es une des per-
sonnes les plus importantes de ma vie, me
disait-il, Tu ne peux pas savoir. Je ne pouvais
pas savoir. Une fois, il m'a dit, Ma belle, je
suis stressé, est-ce que je peux t'étrangler, ça
me calmerait. Nous étions habillés tous les
deux, nous n'étions pas même au lit. Sans
attendre ma réponse qui allait de soi, il a mis
ses deux mains autour de mon cou et a serré
jusqu'à ce que mes jambes fléchissent, il avait

un client particulièrement chiant qui l'angoissait quelque peu, une semaine stressante, oui, et je me demandais si avec lui, à tant manquer d'oxygène, je devenais tranquillement moins intelligente. Si on regardait bien, trouverait-on des morceaux de mon encéphale dans sa chambre ? Faisons une chasse au trésor, mon amour, retrouvons les morceaux de ma tête que j'ai échappés de par chez toi. Une autre fois, chez lui, après qu'il ait joui, confession post-coïtale, enfin me parlait-il de lui, de ses sentiments, il m'a dit qu'il avait l'impression qu'il pouvait me tuer chaque fois qu'on couchait ensemble. Il m'a soufflé qu'il croyait bien qu'un jour il me tuerait sans s'en rendre compte – par maladresse –, en ne relâchant pas ses mains assez rapidement. Un jour, oui, il m'étranglerait pour de bon. Ma belle, un jour, je pense que je pourrais te tuer.

Je l'ai regardé, ses grands yeux bleus ne reflétaient rien. À l'intérieur de lui, je ne savais pas où j'étais, sans doute n'y étais-je pas du tout. Oui, je pourrais te tuer, et comme je ne répondais rien, il m'a demandé si ça allait. J'ai dit Oui, oui, je me suis habillée, j'ai mis mes bas de nylon lentement, si on les met trop vite, ça fait des mailles et je voulais qu'ils restent impeccables le plus longtemps possible. Je me suis levée de son lit, je lui ai donné un baiser sur chaque joue, et je lui ai dit de ne pas me rappeler cette fois-là, de ne pas revenir. Que les chats peuvent partir aussi, que les chattes choisissent toujours leur maître.

Courtney Love comme repère

Au téléphone, elle avait demandé, Qui me conseilleriez-vous pour changer de tête, j'ai besoin de nouveauté. La réceptionniste lui avait donné rendez-vous avec Joé, Comment l'épelez-vous, J-o-e-accent-aigu. Tout de suite, elle s'était imaginé un petit homme maigre aux cheveux en brosse roses ou mauves, la couleur délavée dans tous les cas. Il aurait des cicatrices d'acné, résultat d'une adolescence passée à gratter ses boutons purulents jusqu'à avoir le dessous des ongles saturé de sébum blanchâtre, il souhaitait être beau comme les vedettes américaines de papier glacé sur lesquelles il fantasmait avec l'énergie du désespoir. À quinze ans, décida-t-elle, Joé désirait le corps de Brandon, Kevin ou Spencer quand il ne voulait pas carrément être l'un d'eux, mais non, il était né Joé de Longueuil. Il devait se contenter de n'être que l'ersatz de sa véritable personnalité, il aurait dû être Joey de Los Angeles, mais en grandissant, pas de mutation pas de transfiguration, il était resté Joé Joé Joé, il avait fait un DEP coiffure et à force de cliquer sur refresh sur nightlife.ca, il avait su dans quels bars, dans quels lounges se tenir, comment s'habiller pour avoir l'air dans le coup, pour se créer des contacts, et il avait réussi, puisque le voilà dans un salon hot du centre-ville, où il s'occupait de Macha Grenon, d'Abeille Gélinas, de Varda Étienne, pas de Sharon Stone ou d'Angelina Jolie, et encore moins de Meryl Streep, mais coiffeur de stars québécoises, de vedettes 7 jours, de vedettes V télé, des vedettes à la Andy Thê-Anh et non à la Oscar de la Renta, c'était le mieux qu'il puisse faire afin d'approcher son caractère véritable, celui qui le fuyait chaque fois qu'il croyait l'effleurer. Au moins, at least better than nothing, continuait-elle à se dire, continuait-elle à imaginer, il allait à New York chaque automne et chaque été, ce n'était pas Los Angeles, non, mais au moins c'était aux États, sept heures de bus et il pou-vait dire aux garçons qu'il rencontrait dans les bars de Greenwich, Hi my name is Joey, il mettait tout son cœur à ne pas avoir d'accent, il parlait avec une volupté débordante et ça y était presque, il se sentait vraiment là, entier, pour une fois il était dans la même pièce que lui-même, oh, il aurait pu s'étreindre ! Elle se disait, Que nous sommes faits pour nous entendre, Joey-Joé et moi, nous sommes des âmes amies, je le sens, je remettrai ma tête entre ses mains, je suis prête à déposer sous ses dix doigts mes cheveux, non, rien de rien, je ne regretterai rien… Chante avec moi, fais-moi du bien, Joé, le supplierait-elle. Et comme un talisman, comme un sauve-la-vie, elle avait porté tout au long de la semaine l'espoir de cette rencontre qui serait déterminante.

Le lundi, en arrivant au salon, elle avait dit à la réception, Je m'appelle Mégane, j'ai rendez-vous. On l'avait invitée à s'asseoir sur un siège de cuir italien, Vous désirez latte, cappuccino, americano, ou café filtre ? Non, merci, rien, Madame, et un homme s'était approché derrière elle, il s'était présenté, c'était Joé, son Joé, qui avait les cheveux longs et lisses, des cheveux de fille, de princesse, et un joli visage de chat dont les traits n'avaient rien à voir avec ceux qu'elle lui avait imaginés, mais à cheval donné, on ne regarde pas la bride, et Joé, tu es mon cheval à moi, Il faut tout changer, je t'en prie, je ne veux plus me reconnaître dans le miroir.

Change-moi de tête, Joé, Joey.

C'était le genre de coiffeur qui parlait sans cesse. Il avait une copine qui s'appelait Clothilde. Il n'était pas gay, c'est drôle, tout le monde pense que tous les coiffeurs sont gays, mais non. Il jouait de la musique. Il était heureux, du moins il le pensait, parce qu'il était là où il avait toujours voulu être, Et vous, mademoiselle, êtes-vous heureuse ? Elle ne disait pas grand-chose. Oui, non, hum, je ne sais pas, qu'est-ce que le bonheur, han ? Ça lui arrivait constamment. Ça. Ses projections qui s'avéraient fausses. Ça, encore une fois. Se répètent, se répètent les choses et machinalement, comme les vieilles habitudes reviennent vite, se répètent elles aussi, les mauvaises habitudes sont des refrains de chansons grises, et avec l'ongle de son index droit, elle essayait de se couper la peau du pouce en appuyant très fort, ça ne marchait pas tellement, Joé n'est pas Joey n'est pas Joé, et il effile mes pointes sans se rendre compte de ce qui se trame en moi. Elle avait envie de se punir d'avoir été si nunuche, de s'être fait des scénarios, s'entamer la peau, se râper les squames, revenir à la semaine précédente, avant qu'elle n'ait entendu le nom de Joé, avant qu'elle n'ait jamais chantonné Joé.

Deux heures plus tard, pourtant, Joé avait réussi. La masse de cheveux bruns de Mégane s'était allégée avec une coupe aux épaules, Joé lui avait décoloré les cheveux, les avait ondulés, pour finalement teindre les extrémités en rose pâle, en arguant, Les nineties sont de retour, pour s'assurer d'être dans le ton, il faut avoir Courtney Love comme point de repère pour les six prochains mois, au moins.

Surtout, il lui avait taillé une frange. Quelle idée de génie, une frange qui serait toujours devant ses yeux, désormais sa vision perpétuellement obstruée, et lorsqu'elle se regarderait dans le miroir, au moins, elle ne se verrait qu'à moitié, son visage mangé par ses cheveux.

Avant qu'elle ne sorte, il lui avait proposé des retouches gratuites pour la prochaine semaine si jamais quelque chose lui déplaisait. Non, non, tout va bien aller à partir de maintenant, je crois, et est-ce que je peux me permettre, Joé-avec-un-accent-aigu, c'est rare, non ? Il avait dit, Oh, ma mère était anglophone, mon nom c'est J-o-e-y à la base, mais depuis des années, je dis Joé-avec-un-accent-aigu, on est au Québec, ostie ! Elle avait dit, Oh oui, bien sûr, je comprends, elle avait payé en laissant un bordel de pourboire. Trop bonne trop conne. Elle était revenue chez elle en autobus, tout le long du trajet, elle avait essayé de contrôler sa respiration, et de se dire que ce n'était pas grave si la réalité n'avait pas rejoint ses pensées, qu'au contraire, elles étaient restées en elle, tournoyant dans sa tête, Qu'il faut être conne, n'est-ce pas, pour toujours se faire des projections comme ça.

En se regardant dans la glace de la salle de bain, à la maison, elle avait pris un ciseau et avait coupaillé un peu de la contribution de

Joé à sa tête, Bye bye Courtney Love, éradiquée, la frange qui ne lui tombait plus dans le visage, au moins, elle pouvait se regarder dans les yeux, mais qui était celle que lui renvoyait le miroir ? Impossible à dire. Alors, avec la lame du ciseau, elle s'était tracé deux petites grafignes sur chacune des joues, au niveau des pommettes, un ciseau comme ça, ça ne coupait pas assez, ça ne coupait pas vraiment, mais assez pour se faire deux barres horizontales, Mégane la squaw, Megan la maganée, là, peut-être qu'elle se ressemblait un tout petit peu plus, Est-ce que cette tête, c'est ma tête, comment distinguer le fond et la forme, m'identifier, me circonscrire ? Maintenant, on dirait que je suis une guerrière, on dirait que je suis dans Transformers, dans Jonah Hex, on croirait que je suis une battante même si je ne sais pas qui gagnera, Mégane-Meagan-Megan.

Liste des raisons
pour lesquelles tu devrais m'aimer

- J'ai mal pour chacun des sans-abri dans la rue, pour chacun d'eux, je fais une petite prière d'ondes positives, je leur souhaite le meilleur.
- J'aime tous les enfants.
- Je te laisserai m'enculer sans lubrifiant.
- Je m'hydrate la peau matin et soir, j'ai une crème de jour, une crème de nuit, une crème contour des yeux, plusieurs crèmes pour le corps selon les saisons, une crème pour les pieds, une crème pour les mains, je suis douce tout le temps, je sens tout le temps bon et grâce à ces crèmes, je n'aurai jamais de rides, tu pourras m'aimer pour toujours, mon amour.
- Je recycle tout ce que je peux recycler, même mes factures, et quand je suis dans un endroit sans bac de recyclage, je rapporte les trucs dans mon sac pour pouvoir les recycler à la maison.
- J'aime Tori Amos comme Tupac, Lhasa comme Rihanna.
- Je donne à Unicef chaque mois.

- Je sais coudre les boutons et les ourlets, je pourrais faire le bord de tes pantalons.
- Je fais un potage par semaine, chaque semaine différent, et je fais des gâteaux chaque semaine aussi, mais là parfois c'est les mêmes recettes, j'ai mes préférés, watch out mon forêt-noire vegan.
- Je mets des huiles essentielles dans mon lit, une nouvelle pour chaque amant, pour toi j'ai décidé que ce devait être lavande et figues.
- Je t'écrirai des poèmes que je te réciterai juste avant qu'on baise.
- Je peins à l'aquarelle des toiles qui rendraient notre appartement joli, et comme j'ai beaucoup été au musée, je connais mes shits.
- Je me vernis toujours les ongles des mains et des pieds.
- Je ne pleure jamais au cinéma, tu n'auras pas honte.
- Je vais chez l'esthéticienne et la coiffeuse tous les mois, pour garder les deux touffes sous contrôle.
- Je te masserai le dos, les pieds, les mains.
- Je te lécherai les couilles et te mettrai un doigt dans le cul au moment opportun.

– J'ai lu Céline, Maupassant, Brossard, Guibert, Jelinek, Valère, Navarre, Saint-Denys Garneau, j'ai une bibliothèque de fou que je sais décliner comme oublier pour pas faire mon intellectuelle gossante.

– Mon cœur est pur, je crois. Je veux dire, c'est clair que des fois, je suis pas la plus fine, que parfois je suis impatiente, mais en vrai, à l'intérieur, je pense que je suis quelqu'un de bien, qui mérite d'être aimée.

Par toi.

Vois-tu, bébé requin,
je veux te dévorer le cœur

J'avais froid et le photographe tournait autour de moi sans cesse, il m'étourdissait en me donnant des ordres, il voulait diriger mon corps, comme si je n'étais pas déjà suffisamment à sa merci, nue dans son studio, alors que lui était doublement protégé, par son complet qu'il portait sur une chemise boutonnée jusqu'au cou et par son appareil photo à travers lequel il me regardait comme par la lorgnette d'un télescope, comme si j'étais une planète, comme si je n'étais pas composée de la même matière que lui, de sang, de sueur, d'eau et de chair, il me disait, Écoute ce n'est pas du gruau qu'on veut vendre, c'est du parfum, il faut que tu sois sexy pas que t'aies l'air frigide, il me disait, Relève le menton, tourne ta tête un peu plus à gauche, non, pas complètement à gauche, juste un peu, tu comprends pas le français, il s'impatientait et il faisait de grands gestes avec ses mains qui étaient la seule portion de sa peau que je voyais, sauf évidemment son visage blanc de vampire qui n'a pas bu de sang depuis longtemps, il me disait, Il manque quelque chose dans tes yeux, une étincelle, alors que si une chose est certaine, c'est que l'ostie d'illustration dans le Larousse à côté du mot « étincelle » n'est pas celle de ma face, je ne suis pas tout feu tout flamme, que ça se sache.

Il me faisait dégueuler avec ses formules creuses de photographe qui shoote juste pour le Châtelaine et pour des pochettes d'albums de disques pseudo-indie freaking poches et qui se prenait pour un artiste, j'avais envie de lui donner une claque dans la face, de lui dire Petit, prends un grand respir, c'est pas pour Chanel qu'on fait des photos, mais pour la fragrance de la marque maison d'une pharmacie qui veut se croire ben in parce qu'elle va proposer comme tout le monde une publicité de toute nue racoleuse, comme si la nudité choquait encore les gens, comme si mes boules allaient faire la révolution marketing du nouveau millénaire. J'aurais voulu qu'il s'étouffe avec ses phrases, le regarder chercher de l'air, le voir s'asphyxier plutôt que chercher à aspirer quelque chose de moi en me photographiant. Plus il m'invectivait, plus je quittais la scène pathétique que nous vivions ensemble pour dériver à l'intérieur de moi, plus il me disait comment placer mon corps et plus je pensais à mon amant qui venait de quitter le pays sans préciser ce que j'étais pour lui, sans qu'on parle de ce qu'il était pour moi. Il était parti remplir les charges d'un contrat en Inde et je ne savais pas si nous allions nous revoir, si on avait baisé ou si on avait fait l'amour, s'il m'aimait ou s'il m'aimait bien, parce qu'il était comme moi et comme tous les autres, atteint du mal du siècle, l'incapacité, en général et en particulier, de parler de ce qui arrivait là maintenant entre nous, outre que son pénis aimait pas pire mon vagin. Je dois l'admettre, ça me faisait un petit quelque chose tout ça, alors non, vraiment, je n'avais pas la tête à faire la sulfureuse. Faire la Mata Hari version édulcorée, c'était déjà mon pain quotidien, alors je suivais les directives du photographe comme une automate, et c'était tout, pas question que j'en donne une miette de plus, pas d'étincelle de fée Clochette dans ma mécanique très exactement huilée pour ne pas en fournir davantage que ce que le client demande. Sulfureuse, je l'avais déjà été bien suffisamment pour JF avant qu'il ne parte pour l'Inde, accroupie, à quatre pattes, par-dessus lui, je lui avais donné tout mon quota de sex-appeal pour l'année, je lui avais donné tout mon petit change, je n'avais plus rien dans les mains, rien dans les poches d'affriolant, pas même des miettes. J'étais vidée.

Après une heure de studio, le photographe s'impatientait. Son assistant me regardait l'air désespéré, et la maquilleuse, oubliée dans un coin, textait frénétiquement quelqu'un qui lui répondait apparemment avec la même vigueur. Le photographe me disait, On ne veut pas d'une Heidi, pas d'une Heidi ni d'une Laura Ingalls, mais d'une femme, tu sais combien ça coûte être ici, on n'a pas toute la journée, puis il a commencé à égrener le prénom des autres filles à l'agence qui auraient pu faire l'affaire, il me disait, Joanie, je suis certain qu'elle serait mieux que toi, je l'ai prise en photo pour le spécial été de Elle Québec et elle comprenait sans que je lui dise ce que j'attendais d'elle, et Marilou, ah ! Marilou, quelle perle, douce, pas comme toi, hein. C'est vrai que je commençais, pour être franche, à paniquer un brin, je le trouvais toujours aussi ridicule, mais j'avais peur qu'il demande qu'on lui envoie quelqu'un d'autre à ma place, je ne savais pas si ça se faisait vraiment, mais sait-on jamais, c'est que j'avais besoin de l'argent de ce contrat pour payer mon loyer de janvier, mon loyer de janvier et mon épicerie de janvier et mes factures de janvier aussi et ok, oui, c'est vrai, je me disais que si jamais JF me le demandait en me suppliant ardemment, j'aimerais avoir de l'argent de côté pour aller le rejoindre, d'un coup que ça lui tenterait, d'un coup qu'il soit tombé amoureux, alors je me suis mise à me ratisser de fond en comble, il fallait que je trouve à l'intérieur de moi quelque chose à lui donner, au photographe, quelque chose de plus que mon corps.

Tout ce qui flottait à la surface de mon esprit était JF. Soit. J'ai décidé de creuser encore et encore cette image jusqu'à isoler un désir, n'importe lequel, de quoi donner envie, ostie, à toutes les ménagères de la province de sentir Plaisir sauvage. J'ai d'abord tenté de me souvenir de son odeur et j'y suis parvenue, une odeur chouette de soleil et de shampoing qui restait imprégnée dans ses cheveux doux et sur mes oreillers et sous mes ongles. Ensuite sa peau, je suis arrivée à me souvenir de sa peau et avec sa peau a déboulé le reste de son corps en éclats maudits que j'arrivais à palper, palper sa chair, que c'était bon, je sentais tout, toutes les dénivellations de sa peau, toutes les irrégularités, je sentais son ventre et ses quelques poils drus, je sentais la peau rugueuse de ses genoux et je sentais la douceur de celle de sa nuque, son corps, ça y était, son corps… et lorsque, finalement, je suis arrivée à recréer son visage, je me suis vue le trancher en un tas de petits morceaux, j'inventais un couteau dans mes mains et son visage à découper comme une livre de beurre température pièce, un matin chaud de printemps, je m'imaginais sectionner son visage et ensuite porter les morceaux sanguinolents à ma bouche, les mastiquer pour l'avoir à l'intérieur de moi, porter son nez sa bouche ses yeux à mes lèvres, rouler les morceaux de JF sur ma langue, les réduire en purée avec mes dents avant qu'ils ne descendent dans mon œsophage, avoir de l'humeur vitrée plein le gorgoton, et bien goûter tout le plastique de son cartilage avant de l'avaler tout rond. Alors là oui, calvaire, ce serait l'amour, l'avoir en moi pour de vrai et qu'il me nourrisse et que je devienne plus forte encore en puisant mon énergie dans la viande de son corps.

Je ne sais pas combien de temps cette dévoration a duré, mais au bout d'un moment, le photographe, avec sa petite gueule d'enfant prodigue du monde de la mode qui me grugeait tranquillement les nerfs, m'a dit qu'il avait pris au moins dix bonnes photos pour la campagne. Il m'a aussi murmuré du bout des lèvres, je voyais bien que ça lui coûtait de l'admettre, que j'avais donné ce qu'il fallait, finalement. D'où elle a sorti ça cette gnochonne, se demandait-il, je le voyais clair comme de l'eau de roche, je voyais à travers lui malgré son complet copie poche d'Armani et sa chemise boutonnée jusqu'au cou, malgré son appareil photo qui n'était pas un pare-balles, puisque je lisais dans son cœur et dans ses yeux d'homme que oui, je l'avais bien eu. Je ne lui ai pas serré la main avant de sortir du studio.

Trois mois plus tard, mon corps était placardé un peu partout dans la province. Plaisir sauvage s'est très bien vendu, paraît-il. Du moins, pour une fragrance de pharmacie qui sent la marde. Je n'ai pas revu JF, je ne sais même pas s'il est revenu de l'Inde, ou s'il est encore là-bas, construisant des usines. S'il est revenu, peut-être m'a-t-il vue, lui aussi, mon corps et mon visage sont affichés au-dessus de l'autoroute qui relie l'aéroport à la ville, tout le monde peut me voir presque aussi nue qu'il me voyait, lui, quand jadis il m'enlaçait dans sa chambre blanche, coin Laval et Mont-Royal. S'il est revenu, j'espère de tout mon cœur qu'il ait regardé au travers de la fenêtre du taxi au croisement de la 20 et de la 15, qu'il m'ait vue là, là ou ailleurs finalement, je suis exposée sur tellement d'abribus et dans tous les Jean-Coutu de la province. Tout le monde peut me voir, mais je veux que ce soit JF qui me regarde. C'est que j'ai cette fantaisie qu'il aperçoive un peu de lui dans mes yeux sur la photo, une étincelle, oui, une réelle étincelle, je voudrais qu'il comprenne que ma peau est irriguée grâce au sang puisé dans son corps, que dans mes dents sont encore coincés des morceaux de sa chair. Un peu comme si, pour toujours, ou au moins jusqu'à tant qu'ils démontent ces maudits panneaux de pub, il y avait un code secret entre lui et moi, dont nous deux, seuls, posséderions la clef.

Nue

Un samedi, je n'ai rien prémédité, c'est arrivé comme ça, spontanément, en me levant, je me suis dit : c'est aujourd'hui. Un pari pour voir si je pouvais le gagner contre moi-même : celui de ne pas me maquiller durant une journée. Comme ça, je laisserais reposer mes pores. Je ne suis pas dingotte, je sais que les imperfections sont inévitables, mais je veux pouvoir les camoufler : si je les engraisse ad vitam æternam à coups de parabène et de graisse de baleine, peut-être deviendront-elles si énormes qu'elles seront impossibles à atténuer, donc, pas plus conne qu'une autre, j'ai fait comme Intothegloss recommande, j'ai décrété une journée de grève de maquillage. Me purifier le derme et l'âme itou. Pas de cache-cernes pour masquer les cercles qui étouffent mes yeux, pas de poudre pour faire semblant que je reviens d'une expédition dans les Alpes, alors que la seule côte que je grimpe, c'est celle de St-Lau entre la job et la maison. Pas de rouge à lèvres, pas de fond de teint. J'avoue que je n'ai pas choisi une journée où j'avais un agenda super rempli d'activités et de réunions, le samedi, c'est ma journée de repos, il fallait juste que je passe à l'épicerie, des trucs du genre, mais je me trouvais vraiment courageuse d'oser le faire anyway, de me promener sans rien de rien de rien dans la face, alors que je me maquille depuis que j'ai quatorze ans.

Je ne voulais pas trop avoir l'air d'un déchet, alors j'ai quand même mis des talons pour compenser mon teint trop pâle, des talons qui matchaient avec mon manteau et mon foulard. J'ai pris quelques sacs réutilisables, j'ai donné un bec à mon chum qui s'était levé avant moi et qui lisait le journal à la table de la cuisine, je lui ai dit que j'allais faire les courses. Il m'a demandé si je voulais qu'il m'accompagne, j'ai refusé. Je savais qu'il aurait pu me servir d'armure, que je me serais sentie protégée s'il avait été là, s'il m'avait tenue par la main, si on avait fait comme d'habitude : des blagues sur le monde dans la rue, des paris sur qui faisait son walk of shame après un one night, pis la guerre des pouces, nos deux mains dans la poche de son manteau.

Quand j'ai mis le pied dehors, je me suis sentie pleine de mon propre courage. Gorgée de fierté. High five multiples de moi à moi. J'ai marché sur Fairmount avec encore plus d'assurance que d'habitude. J'ai fait des sourires aux gens que je croisais. Il faisait gris, c'était l'hiver, tout le monde était dégueulasse de toute façon. Je me trouvais forte d'avoir vaincu ma petite peur, d'être sortie de ma zone de confort, de m'être affranchie, en quelque sorte, de ma dépendance à MAC et à Smashbox, même si je savais que dès le lendemain, je recommencerais à me maquiller attentivement : l'important c'était que là, tout de suite, j'arrivais à faire sans. Je suis allée faire l'épicerie chez P. A. C'était bondé et désagréable, comme d'habitude, il y avait des gens partout qui se bousculaient dans les allées pour aller prendre le dernier casseau de fraises à 1,99 $ et tout ce beau monde pouvait voir mon nez qui brillait de sébum. C'est drôle, mais j'étais vraiment à l'aise avec l'idée qu'on pouvait compter mes points noirs – ce n'était pas comme si la madame à ma gauche avait fait un effort particulier pour camoufler sa repousse de cheveux gris qui mangeait toute l'élégance de sa teinture auburn. J'ai fait mon épicerie calmement. Avec grâce, je dirais. Je suis sortie avec trois gros sacs d'épicerie et je me suis dit que oui, ok, c'était quand même plus agréable d'aller faire les courses à deux : au moins, il pouvait m'aider à charrier les sacs jusqu'à la maison ensuite. Mais je suis tellement de même, tellement fière, tellement orgueilleuse, tellement conne qu'il fallait que je fasse ma courageuse jusqu'au bout, que je décide de ne pas prendre de taxi et de marcher pour rentrer. Tant qu'à laisser respirer ma peau pour qu'elle soit plus en santé, autant en profiter pour brûler des calories en transportant des sacs lourds. J'en étais là dans mes pensées quand le talon de ma belle botte, celle de gauche, a glissé sur une plaque de glace et que je me suis affalée de tout mon long par terre. Good job, girl. J'ai échappé en même temps, évidemment, mes sacs de provisions. Une orange a roulé en-dessous d'une voiture stationnée, mes fèves germées se sont éparpillées sur le trottoir, comme dans un jeu de Mikado. J'ai fait un trou sur mon genou gauche dans mes collants Dim à vingt-deux bordel de dollars. Mon beau manteau rouge était plein de gadoue. Il était onze heures, il y avait au moins autant de monde par mètre carré sur Fairmount que chez P. A., quelques minutes plus tôt : j'ai eu l'impression que la population mondiale s'était donné le mot pour assister à ma chute de bourgeoise désarticulée, en cette triste matinée d'hiver grise comme un fucking poème de Nelligan. Je l'avoue, j'ai pensé, automatisme de fille niaise, que si j'avais eu du rouge à lèvres, je me serais sentie moins toute nue, à ce moment-là. J'aurais pu faire : ouais, ok, je me suis plantée comme une tache, mais regardez comme mon

Guerlain a une texture crémeuse. Quelque chose du genre : du make-up pour toner down mes échecs comme les rougeurs dans ma face, un deux pour un, on aime ça, la productivité.

Je suis restée par terre. Pas une éternité, mais un bon trente secondes. Personne n'est venu m'aider malgré que de l'autre côté de la rue, un couple se soit arrêté, l'air curieux, pour voir comment j'allais réagir. Un maudit couple de jeunes gens cools et dynamiques comme le Mile End les fait particulièrement bien, avec une beauté nonchalante et travaillée. Celle qu'on a mon chum et moi, d'habitude, quand on est ensemble. Je me suis levée, de la glace s'était prise sous mes ongles. Dans la paume de mes mains s'étaient incrustés des petits cailloux noirs que les cols bleus – ou blancs, je sais jamais – crissent partout en croyant que ça rend les rues moins dangereuses. Sur mon manteau de feutre rouge, j'ai étendu la sloche brunâtre en tentant de l'ôter. Je me suis sentie d'un coup très fatiguée. Friable, surtout. Je ne voulais pas que le couple de l'autre côté de la rue devine que je me sentais comme de la merde. Je voulais que personne ne le sache. Ne pas gâcher mon défi. Alors, tandis que j'essayais d'enlever toute cette crasse sur mon manteau, je me suis mise à rigoler un peu, pour les autres, mais aussi pour moi, pour sauver mon amour-propre : un petit rire sec qui m'a gratté la gorge, du genre, Je ne me prends pas au sérieux, rien de tout ça n'est grave. J'ai ramassé mes sacs et j'ai remis les trucs que je pouvais à l'intérieur, ceux qui étaient à ma portée. Une dame m'a tendu une orange. Je l'ai remerciée. Elle a dit quelque chose sur l'état des trottoirs, j'ai dit, Ouais, c'est fou, sans avoir réellement saisi le sens de sa phrase, puis j'ai marché jusqu'à la maison. Comme il était dans la douche quand je suis arrivée, j'en ai profité pour étendre un peu de blush crème sur mes joues, et vite vite, me mettre du mascara. Quand il est venu quêter un bec, encore tout mouillé, sa serviette autour du corps, il m'a dit que j'étais belle. Je l'ai remercié.

Les grincements

Je suis partie, le lendemain matin, sans lui laisser mon numéro de téléphone. J'ai marché les quelques centaines de mètres qui séparaient nos deux appartements. Il faisait soleil et je ne savais pas si je portais quelque chose dans mon ventre. J'ai essayé de calculer les jours, de savoir où je me situais dans mon cycle menstruel. Peut-être bien que j'étais enceinte. Durant la nuit, alors que je m'apprêtais à lui faire une pipe, j'ai enlevé le préservatif qu'il avait mis mécaniquement quelques minutes auparavant. Puis j'ai essayé, patiemment, avec ma langue, de retrouver la vraie saveur de son sexe. D'en faire disparaître le goût caoutchouteux laissé par le condom. Par la suite, je l'ai laissé me pénétrer sans même faire semblant que je n'étais pas de ces filles-là, j'ai même retenu son bassin pour qu'il entre le plus profondément possible à l'intérieur de moi. Cette fois-là, comme toutes les autres fois, je n'ai pas eu honte d'être de la race des inconscientes, de ces filles que les autres filles jugent, que les garçons s'échangent. Une catin que sa malléabilité rend appréciable certes, mais qui, rangée parmi d'autres catins identiques, ne semble pas précieuse. Je ne suis pas un oiseau rare, qu'on se le tienne pour dit. Mes sœurs sont volages et nombreuses, vous nous trouverez dans tous les cafés, tous les bars, et vous oublierez notre nom dès qu'on vous le dira : nous portons le même. Et quelle joie que de me cloîtrer dans la nomenclature des filles comme moi, des filles légères, parce que légère je le suis entre ses bras à lui, et je l'ai été, dans d'autres bras encore, tant de fois auparavant. Déliée dans le périmètre de son corps blond, cette nuit-là, j'avais perdu un peu de la lourdeur que je traîne toujours. Je m'étais offerte. Dans ces lits où je ne me prélasse jamais longtemps, que je quitte bien vite, ma sueur et les résidus de ma peau demeurent comme autant de traces laissées derrière moi. Pour me sentir moins accablée, quitte ou double, me disperser m'apparaît comme une sûre stratégie.

Sans latex, avec lui, l'étreinte avait été plus intime encore, peut-être même que des strates entières de lui s'étaient détachées de sa peau pour s'accrocher à moi ; peut-être qu'en somme, j'en devenais moins seule, et que nous avions vécu quelque chose comme un échange. Et le sida, s'il fallait que j'en meure, j'en mourrais, mais meurt-on encore du sida au vingt et unième siècle ? Je me suis murmuré des prières de conjuration en montant les marches glissantes de neige qui menaient à mon appartement. Ces maladies dont les noms ornent les posters de tous les bars, quelques antibiotiques en viendraient à bout. Une main contre mon ventre, l'autre tenant la rampe, j'étais à la fois tenaillée d'angoisse et étrangement détachée. J'avais vécu tant de fois une situation équivalente. Mes lendemains de baise s'amalgamaient pour former une chaîne continue de moments où j'avais été, de manière égale, pacifiée par les orgasmes successifs de la nuit passée en même temps qu'horrifiée à l'idée d'avoir, peut-être, à avorter une nouvelle fois. En rentrant chez moi, j'ai fait bouillir de l'eau que j'ai versée dans une tasse translucide pour me réchauffer. J'ai regardé le thé infuser, les étranges volutes grisâtres dansant dans l'eau pour la noircir irrémédiablement. Ça va bien aller, que je me suis dit, puis j'ai bu lentement, pour m'en convaincre un peu plus à chaque gorgée. Je voulais que l'eau chaude puisse brûler mes peurs, me cautériser. Ensuite, en enlevant mes vêtements pour prendre un bain, j'ai tenté de retrouver sur ma peau l'odeur du garçon que je venais de quitter, mais je ne sentais que l'hiver. Rien de lui ne s'était imprégné, ni sur moi, ni sur le tissu de ma robe, et je me suis lavée longuement.

Les jours suivants, en revenant des cours, à la sortie de l'épicerie, chaque fois que je le pouvais, j'ai trouvé une façon différente de passer dans la rue du garçon. Chez lui, après notre rencontre lors d'une soirée, je ne lui avais pas dit que nous habitions si près l'un de l'autre. La proximité de nos demeures particularisait notre nuit ensemble. Parce que nous étions voisins, mes dispositifs pour ne jamais tomber sur mes amants étaient caducs : nous pouvions nous rencontrer à tout moment. Chaque matin de la semaine, je me suis parée avec soin avant de sortir. Il fallait que je puisse sembler désirable, à nouveau, si jamais nous nous croisions. Désirable comme le soir où je l'avais séduit, étape par étape, avec l'impression de gagner des points à un jeu vidéo quand sa main frôlait ma cuisse avec plus d'insistance. J'ai imaginé le rencontrer selon un hasard dont je calculais les circonstances, justifiant ma présence par des dialogues que je théâtralisais dans leurs moindres détails. Dans ces mises en scène un peu médiocres, il n'y aurait eu aucun mensonge. Qu'une vérité dont j'avais dilaté les parois pour susciter une rencontre qui n'a finalement jamais eu lieu. À la hauteur de sa maison, je ressentais une brûlure au ventre, que je sentais habité depuis que j'avais accepté qu'il jouisse à l'intérieur de moi. Je me sentais fébrile, presque extatique.

Dans cette histoire, je n'ai respecté ni la vie ni la mort en autorisant, entre mes cuisses, une réitération de l'événement. Deux ans plus tôt, on m'avait allongée sur la table en acier inoxydable d'une clinique du centre-ville, les jambes écartées. Des infirmières très douces, qui m'avaient appelée par mon prénom et m'avaient complimentée sur ma jupe, coupaient en petits morceaux un fœtus pour l'aspirer. On m'avait défait d'une grossesse. Où dépose-t-on les embryons déchiquetés, dans quels conteneurs s'entassent ces même-pas-nés qui n'ont pas droit aux sanctuaires, et dont les âmes inquiétantes planent au-dessus de nous ? Moi aussi, comme toutes les autres filles, comme nombre de mes sœurs, je suis génocidaire. La brûlure dans mon ventre, devant la maison de Louis, n'était peut-être que le spectre du fœtus mort qui grinçait dans l'espace de ma mémoire, jugeant mon laxisme qui risquait d'apparier un fantôme à un autre.

J'étais aux toilettes de l'école, durant ma pause, deux semaines plus tard, lorsque j'ai vu l'intérieur de ma culotte taché de sang brunâtre. J'ai imaginé mon petit fantôme, à l'intérieur de moi, pincer mes ovaires et les drainer, affolé, pour enlever les spermatozoïdes qui s'y étaient glissés. Comment expliquer cette chance qui s'acharne, mes règles qui restent régulières, malgré mes manquements, depuis deux ans, sinon par les interventions ponctuelles d'un mort plus sage que moi ? Dans mon ventre, ce bébé exsangue accepte sa solitude et son sort, et ne veut pas être accompagné. Il est plus fort que moi. Et peut-être que le seul devoir de mémoire devant mon avortement est de l'invoquer, lui, à chacune de mes baises suicidaires, afin qu'il me sauve de moi.

Je suis restée quelques minutes assise sur le siège de plastique, imaginant l'enfant que j'aurais pu avoir, choisissant dans quelle mesure mes chromosomes auraient interféré avec les siens, ceux de son corps parfait. En quelques secondes, je me suis vue accoucher, allaiter, aller le conduire à la garderie, le consoler, caresser ses cheveux. Mon petit. Il aurait eu mes ongles qui se dédoublent, ma façon d'être toujours à la fois dans un endroit et un peu ailleurs. Or, je savais que si je tombais de nouveau enceinte, jamais, jamais, je n'aurais le courage d'être mère et de conserver cet enfant en moi : j'avorterais une nouvelle fois. J'ai tapissé avec lassitude le fond de ma culotte de papier hygiénique trop mince qui collait à mes grandes lèvres, et j'ai raté la seconde partie de mon cours pour aller faire le plein de tampons et de protège-dessous à la pharmacie du coin. Le caissier était un jeune garçon de peut-être dix-sept ans. Il m'observait de biais. Alors qu'il me rendait la monnaie, j'ai fait exprès de lui toucher la paume des mains et de faire durer le contact quelques secondes de trop. Il a rougi, je l'ai regardé droit dans les yeux, je lui ai souhaité une bonne journée. Je ne me suis pas excusée.

Je suis rentrée chez moi à pied, en évitant consciencieusement de passer devant l'appartement de mon dernier amant.

En guise d'excuses à Cindy

On t'aimait pas, Cindy. Je dirais même que toutes les filles de l'équipe du Jacob numéro 2731 t'haïssaient. Au plus éreintant de nos tâches répétitives, plier les tshirts en carré selon les dimensions réglementaires, aligner les jupes et les robes sur les pôles à deux doigts de distance, mettre des alarmes à l'intérieur de la couture de la jambe gauche des pantalons, te casser du sucre sur le dos était notre moment à nous, une liberté salvatrice au milieu de notre horaire réglé au quart de tour. T'haïr était un doux vent de fraîcheur. Cracher sur ton portrait, comprends-nous, c'était notre manière de saborder le système. C'était notre récréation, notre eldorado à nous, filles entre seize et vingt-deux ans. Nous étions payées un salaire de crève-faim, mais la véritable paie, ce mois de juillet-là, c'était les talkshits dans ton dos.

Avant que t'arrives, on formait une belle équipe, soudée, on avait le meilleur rendement de la région métropolitaine. Puis, il a fallu que l'assistante-gérante tombe enceinte et que tu viennes la remplacer durant son congé de maternité, un beau six mois payé genre au quart de son salaire. Depuis ton arrivée en ville, tu travaillais dans l'organisation Jacob et t'arrivais précédée d'une sale réputation. On nous avait prévenues : Julia avait déjà travaillé au numéro 312 avec ton ancienne coloc. Paraît-il qu'elle avait trouvé dans ta chambre – par hasard, là, pas parce qu'elle fouillait – une de ces enveloppes dont on se servait pour faire les dépôts d'argent cash à la fin de la journée. On te trouvait déjà louche avant de te rencontrer et dès le premier coup d'œil, t'avais perdu encore plus de points : t'étais belle, ok, mais t'étais belle cheap, t'étais belle 450, t'étais belle Rive-Sud. On aurait pu l'accepter, peu de filles parmi nous étaient born and raised montréalaises, mais le nœud du problème était que toi, de surcroît, ça paraissait. T'étais arrivée à Montréal trois ans plus tôt, mais t'avais toujours pas compris que t'avais pas le droit d'aimer le fuchsia et le polyester, d'avoir les cheveux trop blonds sur le dessus et noir jais dans le bas, colorés comme une de ces mouffettes que j'imaginais éventrées sur le bord des routes de ton patelin natal.

En plus de tes quarante-cinq heures par semaine à la boutique, tu travaillais dans un bar le soir. Une fois, t'avais demandé congé pour aller regarder des games de tennis à Toronto un week-end, avec un client rencontré pendant tes shifts de nuit. T'étais enchantée parce que le monsieur allait tout te payer, tu nous assurais que c'était une relation platonique, qu'il partait avec toi pour le doux plaisir de se retrouver en ta compagnie. C'était si usant de te voir tellement bête, tellement naïve, tellement pas en contrôle de ta propre vie, ça nous donnait envie de gifler ta belle face. Comment t'avais été promue assistante-gérante en trois ans avec ton QI de moins dix-sept, c'était mystère et boule de gomme. On imaginait souvent ceux avec qui t'avais dû coucher pour avoir ta promotion, mais en même temps, on se disait que coucher avec toi, outre tes grosses boules, ça devait pas être très divertissant, parce que même ton corps devait manquer d'intelligence dans ses moves de baise.

On travaillait toutes d'arrache-pied, pas parce qu'on pensait être vendeuses de vocation, juste parce qu'on aimait le travail bien fait. Tant qu'à perdre notre énergie vitale dans un endroit surclimatisé où tout était réglementé, jusqu'au volume d'une musique qu'on ne choisissait pas, on avait décidé d'être les meilleures de la province. Tu venais contrecarrer nos plans.

T'étais souvent en retard. Une fois, je t'avais surprise pendant ta pause en train de

dormir dans le backstore. Par terre. Sur le tapis.
J'ai cru un instant que t'étais morte. D'une
overdose, peut-être ? Je t'ai observée pendant
quelques instants, ta poitrine ne se soulevait
pas au rythme de ta respiration et j'ai eu un
mouvement brusque vers toi qui t'a réveillée.
Je t'ai demandé si ça allait, tu t'es étirée en
souriant de tes sales dents blanches parfaites
en disant Oui, j'étais seulement un peu fatiguée. Je pense que c'est à ce moment-là que
j'ai cessé de te mépriser et que j'ai commencé
à t'haïr. T'étais censée montrer l'exemple aux
nouvelles filles embauchées. T'étais censée
être un modèle. On l'était toutes, lendemain
de veille, tout le temps, c'était l'été, c'était
normal, mais nous, au moins, on avait un
standing. Pis on n'avait pas ton salaire.

La gérante de la boutique était de notre
côté : elle aussi te trouvait d'une incompé-
tence crasse, d'un manque de profession-
nalisme hallucinant. My turn to shine est
arrivé lors du rush des festivals. La boutique,
coin Berri et Sainte-Catherine, était bon-
dée. On était short staff, j'étais même pas
troisième-clef et j'avais dû tout runner, dire
aux filles d'aller faire telle et telle tâche parce
que tu t'étais sauvée dans l'arrière-boutique
pour défaire les boîtes de la nouvelle collection.
Ç'a été la goutte qui a fait déborder le vase.

Je t'ai stoolée à la gérante, qui ne travaillait pas cette journée-là. Elle m'a demandé de mettre tout ça par écrit et je me suis lâché lousse : j'ai expliqué en quoi ta présence en boutique avec nous n'était pas un simple irritant, mais une nuisance pure et simple à notre efficacité. J'ai encouragé les autres filles à faire pareil. Ensemble, on a monté un dossier. Contre toi. La responsable de district m'a rencontrée, je lui ai raconté l'épisode où t'étais couchée dans le backstore, et une foule d'autres détails, la fois où t'avais fait le close du magasin à 19 h 07, mais que tu nous avais demandé d'écrire sur notre feuille de temps qu'on était plutôt parties à 19 h 30 pour être payées plus, la fois où t'avais porté toute la journée du linge du magasin même si on n'avait pas le droit de faire ça. Touchée, coulée. J't'haïssais, j'ai dit.

Deux jours plus tard, t'as été convoquée dans le bureau du deuxième étage où les employées de plancher n'ont jamais le droit d'aller. On t'a virée, et on t'a escortée jusqu'à la porte de sortie. Juste avant que tu t'en ailles, on a fouillé ton sac pour voir si t'avais pas volé quelque chose. C'était une procédure toute simple, à laquelle nous étions toutes contraintes à la fin de chaque shift, même chaque fois que nous sortions de la boutique avec notre sacoche, pour aller fumer une cigarette, nous chercher un café ou que sais-je, mais là, cette fois-là, t'avais la tête penchée, tu regardais un point aveugle sur le plancher, et quand la fouille a été terminée, on t'a rendu ton sac, t'as donné les clefs de la boutique et t'as dit au revoir à personne. T'as crissé ton camp. Au final, on l'a appris après, tout ce qu'on avait mis par écrit n'aurait pas été suffisant pour justifier un renvoi. Au pis aller, t'aurais simplement été bonne pour un avertissement sévère. Le prétexte trouvé pour te calisser dehors : tu ne « correspondais plus aux quatre valeurs intrinsèques à l'entreprise, c'est-à-dire la passion, le respect, l'intégrité et l'esprit d'équipe ». On l'a trouvée bonne sur un méchant temps, celle-là.

Je t'ai revue une fois. Tu distribuais des flyers devant un bar sur Saint-Laurent, l'air toujours autant guedaille en jupe de jean et gougounes un samedi soir, alors que c'était plutôt un accoutrement bon pour le Beachclub de Pointe-Calumet il y a dix ans. Évidemment, tu m'as pas saluée, et j'ai raconté aux amies qui m'accompagnaient comme t'étais niaise et comme j'avais gagné au final, puisque cet été-là, après que tu sois partie, nous avons été les meilleures vendeuses, pas seulement de Montréal, mais de tout le Québec. Des machines à vendre, tellement bonnes qu'à la fin de l'été, on a eu un boni surprise sur nos paies, cadeau de nul autre que le président de la compagnie. Je suis restée longtemps chez Jacob, j'ai gardé cette job pour le reste de mon cégep, puis tout au long de mon bac, que j'ai été capable de me payer avec mon salaire de merde, oh oui, sans même accumuler de dettes d'études. Comme une championne.

Maintenant, je travaille dans un cool bureau de graphisme au centre-ville de Montréal, avec des murs en briques, tout ça. Pas pire pour une petite fille de Senneterre dont la famille est pas allée plus loin que la cinquième secondaire. Personne ne vérifie mon sac à la fin de mes journées de travail pour voir si j'y ai pas glissé des trombones ou des brocheuses. Je crois que si je bosse assez fort, assez bien, un jour, et dans pas si longtemps, je pourrai devenir gestionnaire. Mes collègues m'aiment pas pire. Au dernier party de Noël, ils m'ont élue la plus sociable. La plus élégante, aussi. On fait souvent des 5 à 7 que je prolonge trop, je pense.

Au bureau, durant la pause du dîner, quand tout le monde est parti se chercher un sandwich overpriced quelque part, il m'arrive assez souvent, mea maxima culpa, Cindy, d'aller dans la pièce-débarras, là où on range tous les extras de matériel de bureau, pour me coucher directement par terre. Le contact de mon corps avec le béton froid me réveille tout en m'apaisant. Parce que je suis un peu hangover, mais aussi parce que je me sens lasse. Malgré toute l'attention que je porte à ma vie pour que rien n'échappe à mon contrôle, quelque chose, quelque part, cloche. Malgré tous les efforts que je fais pour essayer de le nommer, cet ostie de caillou dans ma mécanique, j'y arrive pas. Je me couche durant une quinzaine de minutes, les yeux fermés, juste pour recharger mes piles, juste pour être plus performante ensuite. Et après, quand je me relève pour aller travailler, je sais pas trop pourquoi, je fous un peu n'importe quoi dans mon sac, des Post-it, un ou deux stylos, puis je retourne à ma table de travail, le sourire aux lèvres, et je me sens un tout petit peu plus légère, à nouveau prête pour le monde. C'est que malgré tout, et il me coûte de te l'avouer, Cindy, chère Cindy, nous sommes du même sang.

Halle Berry et moi

Un après-midi de printemps, je venais d'avoir quinze ans, ma mère m'avait caressé les cheveux et avait voulu avoir cette conversation qu'ont sans doute avec le fruit de leurs entrailles toutes les Blanches dont l'utérus a été inséminé par des spermatozoïdes de Noirs, elle désirait savoir si je n'avais jamais vécu de racisme, Mon poussin ma chouchoune ma cocotte, peut-être voulait-elle me servir quelques phrases sorties de je ne sais quel manuel, me dire que les gens qui ne voulaient pas m'adresser la parole parce que mon nez était épaté ou mes cheveux crépus étaient des ignorants, que je ne devais pas leur en vouloir. Mais nul besoin qu'elle m'assaille de ces affirmations, je lui ai dit la vérité, Non, jamais je n'avais eu à me frotter à des émules du KKK sur Sainte-Catherine tandis que je magasinais des t-shirts en rabais chez H&M, on n'avait jamais au grand jamais menacé d'attacher mes poignets à une voiture en marche pour me tuer lentement en écorchant mon corps contre les chemins gravelés des Cantons-de-l'Est, jamais des madames n'avaient serré leur sac à mains contre leur poitrine à ma vue, sauf lorsque je portais Doc Martens et cheveux roses parce que les punks, bronzées ou blondasses, personne ne les aime, Soyons honnêtes, comme nous le sommes parce que nous sommes entre nous, maman, il n'y a que toi et moi.

Non, jamais on ne m'a fait chier avec la couleur de ma peau, parce que je ne suis pas noire, ou alors, pas assez, seulement exotique, comme me disaient déjà à cet âge-là les garçons en me demandant d'où je venais, dans les bars où mes copines et moi entrions avec l'aplomb de nos courbes et de nos fausses cartes d'identité, mes origines étant apparemment la meilleure punch line qu'avaient trouvé les gentilshommes du centre-ville pour m'aborder, ne se creusant pas bien loin la cervelle puisqu'aux Blanches, il faut bien entendu – mais je parle d'évidence – trouver autre chose à souligner que la couleur de leur peau, leur parler de leur métier, de leurs études, voire de leurs aspirations, tenter l'entrechat du poème de gare, Mademoiselle, est-ce que ça vous a fait mal lorsque vous êtes tombée du ciel, alors qu'avec moi, c'était tout décidé en deux coups d'œil, le premier pour juger rapido que j'avais le ratio boules-taille-fesses acceptable pour qu'on daigne m'adresser la parole, et le deuxième pour découvrir qu'en plus d'être dotée d'un pas pire cul, j'étais une immigrée, l'aubaine, avec un peu de chance j'allais parler un français assez approximatif pour qu'ils m'embobinent jusque dans leurs boxers sans que je ne remarque qu'ils faisaient manger leurs si aux raies toutes les trois phrases. Et malgré la précision de mon français, il est vrai, pourtant, que je n'ai jamais été très difficile à mener jusque dans une chambre à coucher, que j'y enlève mes bobettes avec la même désinvolture que mon foulard dans une pièce surchauffée.

Ma mère avait paru contente de savoir que je n'avais pas été souillée par le démon de l'intolérance, soulagée même, peut-être avait-elle craint que le Québec ne soit pas aussi amoureux du multiculturalisme que ne le prétendaient tous les invités de tous les talkshows de Radio-Can. Elle avait conclu avec une voix tendre, Tout le monde aime les jolies filles, peu importe leur origine, c'était sans doute une manière détournée de me faire un compliment, peut-être qu'elle y voyait la marque tangible d'une filiation, la preuve qu'elle m'avait bien engendrée, après que toute sa vie nombre d'étrangers lui ont contesté ce lien, l'ont arrêtée dans la rue, elle et sa fille haute comme trois pommes, pour lui demander où elle m'avait adoptée. Au fond, ma mère me disait qu'une belle femme ne pouvait accoucher que d'une belle fille, peu importe qu'elle ait mélangé son sang, c'est la souveraine beauté qui prime, N'est-ce pas maman, ma mère, ma très belle mère qui sera toujours mon antithèse, mon mètre quatre-vingts qui gobe son cinq pied deux pouces, mon bonnet DD qui avale ses cent livres, ma mère qui se fait encore autant aborder à cinquante ans qu'à vingt, fragile avec sa petite voix, Oui maman, tout le monde aime les belles femmes comme nous, mais pourtant personne n'aime les filles comme moi, les entre-deux, les mitoyennes, les inassignables. Ma mère ne m'a pas transmis ses taches de rousseur ni ses longs cheveux blond vénitien qu'elle entretient avec soin, je ne lui ressemble aucunement, mais par contre dans mes veines coule bien son sang, quoi qu'on en dise, indéniablement nous partageons les mêmes chromosomes, et ceux de ma grand-mère aussi, morte à cinquante ans d'un cancer généralisé, même si elle ne buvait ni alcool ni café et endurcissait son petit corps pour le marathon organisé par la Ville, elle joggait trois fois par semaine, été comme hiver, sur le tapis roulant d'un gym aux murs blancs du centre-ville, où elle avait une bien plus belle shape que tant de filles de vingt-cinq ans engraissées à la poutine et aux hot-dogs graisseux des snacks bars – par chez nous l'horreur du gras trans se transmet comme les opales de tante Odile, de génération en génération. Si ma grand-mère est morte si jeune, c'est qu'elle avait la même fragilité que ma mère, bien entendu, un gabarit de moineau, mais surtout cette fragilité ciselée par l'angoisse qui tombe sur elles, et sur moi aussi, comme le malheur sur le pauvre monde. Oui, je suis bien la fille de ma mère qui était bien celle de la sienne, oui, je porte mon hérédité comme la tortue sa maison sur le dos.

J'ai grandi depuis cette conversation avec ma mère et après mes seize ans, cet exotisme de merde m'a bien servie pour travailler dans les bars où les patrons préfèrent une ethnique qui ne fait pas trop négresse, question de ne pas déstabiliser les 450 habitués à leur propre blondeur bleachée aux produits de la pharmacie, une ethnique pas trop négresse, mais juste assez pour appâter les quelques joueurs de foot qui préfèrent plus de mélanine que moins sur la main qui tend leur Captain Morgan and Diet Coke, ceux qui apprécient mon exotisme parfaitement 514 qui sent l'Hypnotic de Dior plutôt que l'huile de ricin et la noix de coco, qui chante sans accent les huit et cinquante que coûte la Tremblay – j'attends mon tip les bras croisés sous mes seins pour bien faire ressortir leur galbe.

J'ai souvent eu l'impression de n'avoir qu'à me pencher pour cueillir celui dont j'ai envie, Ne m'as-tu pas dit, maman, que tout le monde aime les jolies filles, ainsi black blanc beur peu importe, j'ai vérifié plus souvent qu'à mon tour la véracité de ta théorie, et presque jamais ne m'a-t-on refusé une baise. N'avais-tu pas prévu, maman, que le mélange de ta fragile beauté et de la robustesse typique des corps du mauvais versant de l'île d'Hispaniola me fabriquerait un physique aux proportions de film porno qui me condamnerait à être soit nunuche soit salope ; à cette loterie déficitaire, j'ai préféré être une catin, les corps comme le mien ne peuvent pas vraiment se payer le luxe d'une personnalité. En regardant ma clientèle soir après soir, j'ai souvent l'impression d'être dans une bonbonnerie, jujube dragée peanut au chocolat, je n'ai qu'à tendre le bras et je pige, quasi au hasard, et je le jure, l'angoisse se suspend durant le sexe, promis juré pas craché, croix de bois cœur de fer, si je mens je vais en enfer, ok maman, j'oublie parfois jusqu'à mon nom et c'est ça, seulement ça que je cherche, le trou de mémoire, fourrer comme on fait une crise d'épilepsie, devenir tout le monde jusqu'à devenir personne, par soubresauts, c'est tout ce que j'ai jamais cherché en baisant aussi frénétiquement que si demain venait la fin du monde.

Je me demande souvent ce qu'ils croient trouver en me suivant docilement jusqu'à ma chambre à coucher, en m'effleurant, me caressant, me pétrissant, ces garçons-là, du pouding chômeur feats du riz collé aux haricots rouges, du ragoût de boulettes mélangé à du poisson aux gombos, je ne sais trop, par contre je sais ce qu'ils trouvent, car ils me le disent, tous, crûment ou avec délicatesse selon leur éducation qui dieu merci varie, sinon qu'est-ce que ce serait monotone, qu'est-ce que je m'ennuierais. Ce qu'ils trouvent à la surface de ma peau, là où ils en ont plein les mains, c'est assurément de la lourdeur, ils me le chuchotent, l'air penaud, dès qu'on parle un peu. Je préférerais baiser en silence, mais on les a élevés poliment en terre d'Amérique, ces garçons-là, on leur a dit qu'il fallait traiter une fille avec tact, intelligence, mais surtout qu'il fallait communiquer, même pour niquer, il faut parler et c'est là où je suis prise. Lorsque j'écarte les jambes, ils m'obligent à ouvrir la bouche en même temps et reniflent mon héritage, ces chiens galeux, l'hérédité de mes aïeules blanches qui s'agite dans mes veines en brandissant la menace des anxiolytiques, les garçons sentent ça et sans doute bien d'autres choses qui m'habitent sans que je ne sache même les nommer, mon héritage jaillit dès que j'ouvre la bouche et en le recevant, ils me disent que je suis lourde, T'es cute mais heavy en crisse. I'm not gonna cry over your rich beautiful girls' problems, m'a un jour dit un amant, et j'étais bien d'accord, moi non plus je n'avais pas tellement envie de me cry a river, mais c'est peut-être le problème, si ni ceux que je fourre ni moi-même n'avons envie de pleurer sur mon sort, qui le fera, je me demande toujours quand surgiront mes pleureuses.

Devant ces garçons, je dis toujours un mot de trop, mais j'ignore lequel, c'est que de nos jours il faut toujours s'expliquer, on ne peut pas baiser impunément, même pas pour une nuit. Dorénavant, pour un one night, il faut tout faire en accéléré, même si on veut baiser là tout de suite, il faut faire comme pour une relation d'un an, mais en un soir; regarder de loin, choisir, approcher, se raconter et fourrer hopefully longuement, hopefully profondément, mais ensuite, please, pretty please, ne plus jamais se revoir. Pour séduire, il faut jongler avec l'anamnèse, cracher puis ravaler le putain de morceau, dégueuler la vérité sur le cours de ses jours et celui de ses nuits. Bien sûr, je pourrais mentir, mais à quoi bon, je ne sais pas si je veux les garder, ces garçons-là, si j'en voudrais pour plus que quelques heures, si je les voudrais assez pour m'inventer autre : souvent, après avoir joui, j'ai l'impression d'être une chatte qui a trop joué avec une souris, bien entendu que je pourrais mentir, mais à quoi bon, I'm fucking bigger, I'm fucking greater, I'm fucking heavier than fiction, voudrais-je leur chuchoter. Bien entendu que je suis lourde, ce qui court sous mes épaules qu'ils étreignent en souriant de leur étroitesse, c'est toute la révolution de 1892, le sang des esclaves qui engraisse la terre des plantations de canne à sucre. À chaque coup de fouet qui cingle la peau la terre se fertilise un peu plus. En moi grouillent la déportation des Acadiens, Pélagie-la-Charrette et Toussaint Louverture, Séraphin Poudrier et le Chevalier de Lorimier, je porte à bout de bras un négrier et le scorbut des marins qui quittaient le Limousin pour la Nouvelle-France, je parle chiac joual créole et fuckall espéranto, bien entendu que je suis lourde, qu'est-ce que vous en pensez, je suis alourdie par cette sédimentation qui s'agglomère dans mon sang. Je suis lourde là où ils s'attendaient à trouver toute la légèreté de mon tropicalisme diluée dans la blancheur de ma mère, je voudrais leur parler de tout ça, mais je suis bien fille de

Montréal, fille de mon époque, je sais qu'aux garçons qu'on ramène pour un soir, on doit se garder de faire d'autres scènes que celle de sa cambrure en doggystyle, que le seul spectacle acceptable est celui de la baise dans le miroir de la commode placée stratégiquement à la gauche du lit, qu'il ne me servira jamais de jouer le drame de mes ancêtres un octave trop haut, alors oui, vaut mieux le ravaler et qu'il continue à couver dans ma cage thoracique.

Après la jouissance, il s'agit d'aller les reconduire jusqu'à la porte, de leur donner deux becs sur les joues et pas mon numéro de téléphone. Je sais bien que c'est tout ce qu'on peut se permettre, que les seuls véritables échanges possibles sont les secrets transmis de muqueuse à muqueuse, le reste, ce que je dis à demi-mot ou ce qu'ils entrevoient, ils l'oublient aussi facilement que j'oublie leur prénom. Aussi facilement que je passe à d'autres bras. Maman, je crois que tu avais bien circonscrit le cœur du problème, Les jolies filles s'en sortent tout le temps, me disais-tu, Peu importe la teneur de leur ADN, les jolies filles s'en sortent tout le temps, c'est bien vrai, je ne fais que ça, m'en sortir, sortir du corps de ces garçons après leur départ, j'en sors à toutes jambes, le plus rapidement possible. Même si je suis d'Haïti, du Nouveau-Brunswick, de

Petite-Goyave, de Caraquet, même si je suis du Sud et du Nord, même si ma diglossie m'écartèle, je suis d'abord fille de Montréal, je suis indéniablement rejeton du Mile End, comme toutes mes congénères, je cours deux fois par semaine et je mange bio en n'oubliant pas mon cours de yoga du dimanche matin au Lolë, j'ai des jambes correct minces et des pas pires abdos, je fais une heure et demie d'elliptique sans me fatiguer, alors oui, pour traquer ces garçons comme pour les fuir, je cours vite en tabarnak.

Un soir que j'avais congé au bar et que je zappais à la télévision, à Télé-Québec c'était Monster Ball, avec Halle Berry sainte-mère-des-mulâtres, son personnage sermonnait son fils obèse, lui servait un discours semblable au tien, maman, peut-être avait-elle simplement renversé le problème, regardé de l'autre côté du miroir, puisque, disait-elle comme un leit-motiv ou comme une prière, You cannot be black and fat in America, you cannot, croyait-elle. Alors que me hantait cette réplique de l'actrice américaine, une idée m'est venue. Peut-être que moi, finalement, je considère que c'est très exactement ce qu'il faut, lâcher le tofu et lui préférer les gras saturés, troquer le Aux Vivres pour le Lafleur, cultiver ma cellulite avec amour, faire écouter de l'opéra à mes bourrelets comme à des plantes vertes pour qu'ils grandissent le plus rapidement possible, oui, absolument, devenir grosse, devenir crissement pesante, obèse morbide si je touche du bois, comme ça, il n'y aura plus d'écart entre le fond et la forme, je serai grosse comme le sont toutes les Big Mamas, je ne serai plus exotique parce que je ne serai plus belle, ma part blanche se dissoudra aux yeux des autres, quelque part dans mes cellules adipeuses, stockée entre le pulled pork et les cannoli que je ne me permets jamais et que j'avalerai enfin, une grosse mulâtre, ça n'existe pas, pas plus qu'un président des États-Unis métis, nous sommes tout de suite renvoyés on the black side, comme si la blancheur de nos mères ne cadrait pas dans le paysage, nous sommes noirs comme si, maman, tu n'avais jamais existé, et ta beauté et ta main dans mes cheveux non plus, ni ta voix qui me dit que les jolies filles s'en sortent toujours, peu importe leur couleur de peau. Devenue grosse, j'annulerai ton sort, une belle grosse, c'est une grosse quand même, ne leur répète-t-on pas ça, maman, à toutes les filles mais aux grosses surtout, qu'elles ne sont que leur corps, que leur corps. Et ainsi, vois-tu, bien grosse, je ne flouerai plus personne sur la marchandise, plus aucun garçon ne s'étonnera de ma lourdeur, du poids de mes ancêtres sur mes épaules, je serai grosse et je ne pourrai pas oublier comment je m'appelle en couchant à droite et à gauche, je n'aurai pas le choix d'être là, bien présente, lorsqu'on agrippera mon corps, ma chair tremblera à chaque coup de bassin, ne restera plus figée sur mes muscles raides, quoi de mieux pour m'habiter complètement que vingt, cinquante ou cent livres en trop, toutes mes aïeules seront avec moi dans les bras de ces garçons qui me désireront malgré ma grosseur. Peut-être même me désireront-ils grâce à elle, maman, car vois-tu, toi qui es obsédée de la calorie en trop, comme ta mère avant toi et comme moi après vous, tu ne savais peut-être pas que certains garçons aiment les filles lourdes, certains garçons les trouvent douces et vraies, préfèrent la rondeur des courbes aux angles sculptés par le gym de mon corps d'aujourd'hui, et je serai parmi elles, parmi ces filles grosses, je serai vraie de vraie de vraie, véritable, tu m'entends, jamais plus je ne ferai semblant d'être une fille légère et sans histoire. Je serai tellement grosse que je n'aurai qu'à me mettre devant la porte de mon appartement pour les empêcher de partir, ces garçons, s'ils veulent parler, s'ils aiment tant communiquer, alors on parlera jusqu'à plus soif, je ne les laisserai partir que lorsqu'on aura épuisé toute mon histoire, crevé tous les abcès de la colonisation de mon corps par mes aïeux, qui étaient eux-mêmes les subalternes de leur destinée, mes amants ne pourront me quitter que lorsqu'on aura détricoté tous les fils de ma genèse, qu'on se sera expliqué pourquoi je suis bien la fille de ma mère comme ma mère est celle de la sienne, et comment je suis bien la fille de mon père qui était bien le fils du sien. Et alors, oui, alors seulement, peut-être qu'ils pourront me parler d'eux.

Seulement s'ils le veulent bien.

Liste des choses
que je ne ferai plus jamais

- Me couper les cheveux toute seule.
- Acheter une robe de designer à crédit parce que je me trouve laide cette journée-là et comme ne le dit aucun adage, mieux vaut se trouver laide dans du neuf que dans du vieux.
- Prendre un couteau dans la cuisine chez mes parents, entailler mes cuisses, le rincer dans la salle de bain, le remettre par la suite dans le tiroir et sourire le soir quand ma mère l'utilise pour couper le rôti de bœuf.
- Boire du café filtre aromatisé.
- Corriger le manuscrit du premier roman d'un amant en espérant qu'il tombe amoureux de moi parce que je n'y aurais pas laissé un seul verbe mal conjugué.
- Arriver dans une ville inconnue sans y avoir réservé une chambre d'hôtel, puis perdre une journée de voyage à me chercher un toit.
- Accepter l'offre d'un étranger qui me propose de lécher ma semelle pour vingt dollars (je ne l'ai fait qu'une fois, je le jure).

- Rompre avec un homme sans le lui dire, bloquer son numéro de téléphone et son profil Facebook, avant de foutre les livres qu'il m'a donnés au recyclage et espérer que les dieux du hasard me préservent et fassent en sorte que je ne le croise jamais plus dans les rues de Montréal.
- Utiliser des tampons au lieu d'une Diva Cup.
- Ne pas passer la soie dentaire chaque soir.
- Acheter trop de fruits et de légumes, les laisser pourrir dans le frigo, pour observer de temps à autre leur peau se teinter de blanc, puis de vert, puis de mauve.
- M'attacher à des gens.

Burger à la Gustav

Dans l'avion qui se dirigeait vers Playa del Carmen, ils nous ont servi du poulet qui faisait squick squick sous les dents et je pensais à mon amant, laissé à Montréal pour deux petites semaines, le temps que ma peau bronze et que des taches de rousseur surgissent sur mon nez. J'étais certaine qu'à mon retour en ville, il me trouverait encore plus baisable qu'avant. À l'aéroport de Cancún, tous ceux qui allaient à l'hôtel Puerto Playa et moi, nous nous sommes amassés autour d'un Mexicain gordito qui brandissait une pancarte avec le nom du complexe touristique. Il a vérifié si je me trouvais bien sur la liste de réservations. Yo soy Marie Eventuriel, lui ai-je dit, trop contente de pratiquer mon espagnol.

Une fois assise, j'ai rapidement fait l'inventaire des gens qui m'entouraient : il y avait une famille descendue du même avion que moi et qui devait venir de Laval on the beach. La mère était une brune à la chevelure striée de mèches jaune pisse et le père portait chaîne en argent massif et t-shirt Point Zero. Il y avait un couple dans la jeune vingtaine, l'air blasé, chacun écoutant son iPod. Quelques retraités bedonnants sans trop d'intérêt, probablement des Allemands. Une fille vraiment magnifique que j'avais bien envie de me faire, châtaine aux cheveux frisés, des gros seins sous une blouse un peu translucide. Elle était accompagnée d'un vieux, son sugar daddy ou son grand-père. Bon, la semaine ne s'annonçait pas si mal, me suis-je dit en ouvrant l'une des revues à potins de merde achetées dans le duty free de l'aéroport. Rihanna s'était fait faire un nouveau tattoo, grand bien lui fasse.

J'ai passé les deux jours suivants sur la plage de huit heures du matin jusqu'à ce que le soleil se couche. J'ai entrecoupé mes séances intensives de bronzage de passages à la cantine, où j'ai englouti des burgers savoureux, garnis de guacamole et de fromage fondu. Le soir, j'ai écouté des soaps latinos à la télévision. Le sable était chouette, fin et blanc, l'eau turquoise : une plage de carte postale, au décor de palmiers et de petites huttes de paille probablement made in China. Même si je me penchais démesurément lorsque les employés mexicains passaient près de moi, j'ai fait semblant de ne pas voir qu'ils reluquaient mon cul et mes boules. La troisième journée, j'ai abordé la fille sexe du bus, elle s'appelait Tina, une Italienne avec qui j'ai communiqué dans un anglais approximatif. J'avais bien estimé la situation, elle était mariée au vieux. On a fourré furieusement dans ma chambre après qu'elle a dit à son cher et tendre qu'elle partait se faire masser. J'ai toujours aimé les filles à l'hétérosexualité élastique. Elle avait un corps plus que correct, une peau lisse que la crème solaire rendait collante, et des bonnes fesses bien faites.

Le lendemain, à la plage, je l'ai réinvitée dans ma chambre, mais elle a gardé ses lunettes de soleil sur son nez, haussé les épaules et continué à lire son magazine. Je me suis demandé si dans les pages de papier glacé qu'elle feuilletait, l'air lasse, Katy Perry avait les cheveux roses, mauves ou tout simplement boring platine. Je suis retournée m'asseoir sur ma serviette de plage, j'ai allumé machinalement une cigarette. Un employé mexicain est venu me demander de l'éteindre en m'indiquant l'un des nombreux écriteaux où figurait l'interdiction de fumer, traduite en cinq ou six langues, et je lui ai répondu en souriant, No problemo. C'était mieux que je ne fume pas, de toute façon, parce que je m'étais fait blanchir les dents juste avant de quitter Montréal.

La quatrième journée, alors que j'étais assise à une table de la cantine et que je m'apprêtais à avaler une assiette copieusement garnie d'une omelette aux échalotes et au cheddar, de petites saucisses cocktail, de deux ou trois pâtisseries, de tranches de kiwis, de morceaux de melon d'eau et d'un truc brunâtre non identifié ajouté à la toute fin, par goût du risque, j'ai entendu la famille québécoise s'engueuler. Bordel, je peux pas croire qu'on a payé quatre mille piasses pour rester quatre nuits au lieu de sept, ostie, hurlait le père, Tabarnak de crisse de tornade, j'en ai plein mon calisse de cass'! Parce qu'il reprenait de plus belle, je suis allée lui demander ce qui se passait. Il m'a répondu qu'un ouragan menaçait les berges du Mexique, et que notre hôtel, comme tous ceux de Playa del Carmen et de la Riviera Maya, allait être évacué durant la nuit. Un vol nous attendrait à l'aéroport de Cancún. Pis talibouare, c't'un act of god, ils vont même pas nous rembourser, crisse, a-t-il ajouté.

Je suis allée à la réception, où on m'a dit qu'une navette viendrait effectivement nous chercher vers deux heures du matin. Je suis montée à la chambre, et en une vingtaine de minutes, mes trucs étaient rassemblés dans ma valise. Comme j'avais six heures devant moi, j'ai décidé de rentabiliser l'argent que j'avais mis dans ce voyage en buvant dans le lobby : je n'allais pas avoir payé un toutinclus sans faire honneur à l'open bar, quand même. Je me suis assise à une table, j'ai commandé trois shooters de tequila, puis deux Cuba libre et encore de la tequila. J'étais au Mexique, autant profiter des produits locaux. Le père était là, lui aussi, il portait toujours son atroce t-shirt Point Zero et il était seul. Ma femme est avec les petits, ils veulent pas partir, pis moé toute ça, ça me déprime ben qu'trop faque j'suis descendu boire un verre, m'a-t-il expliqué. Nous avons discuté tandis qu'il vidait quelques bouteilles de Corona, puis je l'ai embrassé. Nous n'avons pas eu le temps de baiser parce que c'était déjà l'heure de partir, les gens commençaient à se réunir dans le hall, mais j'étais ravie de son érection que je sentais contre mes cuisses.

Un peu plus tard, dans l'autobus qui nous ramenait à l'aéroport, j'ai regardé par la fenêtre. Des milliers de Mexicains marchaient en file indienne. Ils avaient tous les bras chargés de sacs, de morceaux de tôle. Certains traînaient des moutons ou des vaches. Les femmes, elles, portaient souvent des enfants trop petits pour marcher. Je me suis demandé où ils pouvaient bien aller comme ça, et surtout, s'ils progressaient assez rapidement pour échapper à l'ouragan : dans l'autobus, les passagers chuchotaient que dès demain matin,

Gustav risquait de détruire toute la face littorale du Mexique.

L'aéroport était rempli d'une foule de gens qui devaient bien parler une centaine de langues. Personne ne savait où se diriger. Je me rappelle avoir pensé à cette expression souvent entendue à la télé, « les ressortissants étrangers », et je suis restée très calme. Finalement, lorsque j'ai tendu mon passeport à la fille qui les estampillait, au quai d'embarquement, elle m'a dit, Hope you had a nice trip here in Mexico ! J'ai répondu, Si, me encanta, puis je me suis engagée dans le couloir qui menait vers l'avion. J'étais contente, parce que même si je n'étais pas restée aussi longtemps que prévu, j'avais pu bronzer, et quelques taches de rousseur avaient eu le temps d'apparaître sur mon nez et sur le haut de mes pommettes : mon amant allait tripper. Je l'imaginais déjà s'enfoncer en moi profondément, en caressant le bout de mes mamelons.

Partir, ma sœur

On ne s'est jamais tellement ressemblé, mais les gens regardent vite, regardent mal et nous ont pris pour des jumelles toute notre enfance. Lorsque nous nous présentions seules, ils ont cru plus souvent qu'autrement que l'une était l'autre. Au lieu de rectifier le tir, d'affirmer la vérité, nous sautions à pieds joints dans la fiction que permettait leur méprise, parfois tu disais que tu t'appelais comme moi, et moi, parfois, je disais que j'étais toi. Entrer dans ta peau, pour un court instant, me menait dans un espace où tout m'appartenait, ta peau était une maison confortable, j'y faisais comme chez moi. Dans les regards mal ajustés de ces gens qui nous confondaient, nous nous lancions tête baissée ; nous ne voulions rien d'autre au monde que d'être la même. Contrairement aux enfants qui se veulent singuliers, qui revendiquent leur unicité, nous nous appliquions à convaincre tout le monde que nous étions identiques. Nous savions que nous n'étions pas exceptionnelles, nous n'étions pas l'exception, nous étions la paire et c'était ce qui comptait. On ne pouvait pas se fondre l'une dans l'autre, mais au moins pouvions-nous prétendre être pareilles. Ma jumelle en différé, arrivée vingt-sept mois après ma naissance. Ma grande petite sœur, qui a toujours pris soin de moi. Nous demandions à porter les mêmes vêtements et nous nous tenions le plus souvent possible par la main. À cloche-pied dans les parcs, ritournelle de notre enfance, nous chantions, Nous on est des jumelles, c'est pour ça qu'on s'aime beaucoup.

Nos mains étaient de la même grandeur, tu étais un peu grande pour ton âge, moi un peu petite pour le mien, nous étions de la même taille, oui. Tu avais de longues jambes, moi j'avais une taille fine qui s'est dessinée très tôt, tu avais de grands yeux et moi une bouche pulpeuse : si on prenait chacun de nos traits les plus jolis, jetions ta bouche aux lèvres un peu minces, éliminions mes yeux cernés et mes jambes courtaudes, pour ne garder que ce qui était le mieux dessiné chez l'une et chez l'autre, à nous deux, oui, nous étions une vraie de vraie beauté. Il suffisait de faire un peu de bricolage, de sortir les ciseaux et de nous charcuter, pourquoi pas, pour devenir l'une, pour être l'autre, nous étions prêtes à tout, y compris à perdre des plumes. Perdre des bouts de soi, depuis l'enfance, depuis notre naissance, depuis toujours, nous y étions habituées, la maison regorgeait d'endroits où nous étions mortes un peu, nous sommes mortes souvent, pour tout dire, car nos parents n'auraient pas dû avoir d'enfants, mortes dans la douleur d'un quotidien où tout manquait continuellement, l'argent, mais surtout l'amour, nos parents ne savaient pas comment faire pour que leur amour nous atteigne, ils ne savaient pas le transmettre, le faire passer de leur cœur au nôtre, nous sentions trop peu leur amour et nous mourions à petit feu de ne pas être assez aimées, alors oui, tant qu'à perdre des morceaux de soi, autant le faire pour une vraie cause, tant qu'à être nées, autant ne pas mourir gratuitement, ma sœur, autant mourir pour devenir l'autre. Tant qu'à nous sacrifier, autant le faire à l'autel de la meilleure sorte d'amour que nous connaissions, l'amour que nous avions l'une pour l'autre. Peut-être notre amour dévorait-il celui de nos parents avant même qu'il nous rejoigne, c'était peut-être bien notre faute si nous ne sentions jamais qu'ils nous aimaient, peut-être bien que dans notre amour, il n'y avait d'espace disponible pour personne d'autre que nous deux.

On dormait dans la même chambre, c'était parfait, je pouvais te réveiller le matin dès que j'ouvrais les yeux. J'avais plusieurs tactiques, agiter mes couvertures bruyamment, soupirer très fort ou tout simplement te dire, Il est temps de se lever, ma sœur. Quand nos parents, exaspérés de mon comportement, m'ont demandé d'être plus calme le matin, de te laisser tranquille, j'ai contourné le problème en faisant des piles de petits objets près de ton visage endormi, je superposais à côté de toi bibelots et poupées et dès que tu t'agitais un peu dans ton sommeil, te tournais sur toi-même, kaboum, tout tombait, tu te réveillais et nous pouvions dès lors jouer ensemble. Comme ça, ce n'était plus moi qui faisais trop de bruit, c'était toi. Du matin où je te réveillais au soir où nous nous couchions dans le même lieu, le mieux, c'était d'être ensemble. Jusqu'à la puberté, le soir, pour économiser de l'eau, mais surtout pour ne pas nous séparer, nous avons partagé la baignoire. Devant notre mère qui nous supervisait en riant, nous entremêlions nos corps dans des nœuds que nous voulions insécables, ma sœur, ton bras qui passait sous ma jambe pour venir chercher ma main et ma jambe par-dessus ton épaule, il fallait tout amalgamer, nos corps d'enfants assouplis par le ballet et la gymnastique rythmique. On disait, On fait les statues, quelle jambe est à toi, laquelle est à moi, mais c'était un équilibre précaire, on ne pouvait jamais tenir ces positions très longtemps, quand l'une ou l'autre flanchait, le jeu était terminé, et il était temps d'aller se coucher. Le sommeil nous séparait, je ne pouvais pas infiltrer le tien, je trouvais que dormir était insupportable, puisqu'en y cédant j'étais seule et dans mes rêves, tu n'étais jamais assez là : voilà pourquoi, ma sœur, il fallait que je te réveille chaque matin et tu me pardonnais toujours de ne pas savoir vivre sans toi, parce que toi non plus, tu n'y arrivais pas.

C'était moi qui parlais le plus et toi qui écoutais le mieux. Séparées, il nous manquait un morceau, mais à nous deux, nous étions parfaites, mon entregent et ta perspicacité, ta vivacité et ma candeur ; tu courais vite, mais moi j'étais forte, réunies, nous étions la sportive idéale. Être seule, c'était ne pas suffire. Individuellement, nous avons fréquemment été moyennes, facilement oubliables. Pour briller, nous avions besoin l'une de l'autre. Nous étions à la fois la béquille et le corps malade, la blessure et le médicament : l'absence de l'autre, c'était boiter, montrer sa maladresse. Pour marcher droit, il me fallait être avec toi. Dans les jours précaires de notre foyer, là où tout tanguait, où tout bougeait constamment, où j'avais le mal de mer, ta présence était la donnée stable ; ton corps, ma sœur, un gouvernail. À partir de lui, je savais me diriger sans trop chanceler, tes pas dans les miens, les miens dans les tiens.

L'été, nous avions enfin du temps, nous n'avions pas à nous quitter pour aller dans nos classes respectives, où apprendre nous séparait ; une chance qu'il y avait l'été, c'était fait pour jouer et nous pouvions goûter à tout le plaisir d'être ensemble. Je te faisais souvent la lecture à haute voix. J'ai appris à ne pas lire trop vite, à faire des accents parfois dramatiques, à moduler ma voix selon les personnages. Tu m'écoutais attentivement. D'autres fois, sous le balcon arrière, nous construisions, avec des couvertures, de vieilles nappes, une maison à nous. Un lieu pour nous. Il nous fallait nous casser un peu le cou pour entrer dans nos éphémères palaces, le balcon était bas, l'air toujours plus humide qu'ailleurs et il y avait des gros perce-oreilles sous les dalles de béton. Nous aurions pu prétendre qu'ils n'étaient pas là, mais nous les obligions plutôt à sortir de la moiteur de leur habitat pour qu'ils vivent avec nous. Une famille de sœurs et d'insectes. Nous apportions des biscottes, mettions un tapis pour ne pas nous salir les fesses et prétendions que nous étions bien, là. C'était agréable, mais notre activité préférée était sans contredit de passer des journées à assembler tous les casse-têtes que nous possédions pour ensuite les étaler, bien à plat, dans notre chambre, avant de gambader d'un à l'autre et de faire semblant que chaque fois que nous en enjambions un, nous passions d'un monde à l'autre ; régulièrement, nous ressentions le besoin de changer d'univers, tant vivre à la maison, c'était souvent comme marcher sur des œufs. Tant qu'à vivre dans un casse-tête, aussi bien les fabriquer nous-mêmes, et quel plaisir de les piétiner !

Quand l'adolescence est arrivée, nos parents ont décidé de faire des rénovations, des filles qui grandissent ont besoin de leur intimité, paraît-il, la cave de ciment est devenue un sous-sol et désormais nous avions des chambres séparées. Au début, il arrivait que nous nous endormions dans le lit de l'autre, je te racontais encore des histoires. Même adolescentes, c'était un moment à nous, celui de la lecture, Poussière d'anges, notre livre préféré, où Ann Scott égrenait les morts qui l'avaient marquée, celles d'Hervé Guibert, de River Phoenix, d'autres encore. La mort de ces inconnus décloisonnait les murs de la maison, ouvrait grand, grand vers le dehors, loin de notre maison triste, de Montréal, quelle platitude quand existent tant d'autres mondes, la poussière de ces anges suppléait aux repas de famille où nous n'avions pas de place, dans ces histoires tragiques, nous dépassions la nôtre, la fiction ouvrait grand, grand un espace où s'asseoir, où être chez nous, nous qui peinions à trouver notre place. Dans les portraits des disparus d'Ann Scott nous glissions le nôtre, nos deux visages bien vivants et avides. Par ces morts arrivaient la vie aussi, l'Europe, la fête et les overdoses, une vie qui exultait de mille jouissances alors que nous ne savions vibrer que dans notre présence à l'une et à l'autre.

Si à la séparation, nous avons survécu un temps, quelque chose dans la distance, fût-elle seulement de quelques pas, de quelques mètres entre nos deux chambres, nos deux lits, a travaillé à nous éloigner. Notre lien s'est effrité quelque peu. S'est dissolu avec ces pas que nous ne faisions plus ensemble, mais côte à côte ; je marchais à côté de toi, à côté d'une joie qui n'était plus à moi, que je ne savais pas prendre. Les gens ne nous confondaient plus, savaient très bien qui était l'une, qui était l'autre, nous ne pouvions plus flouer personne, nous étions bien prises dans nos noms, plus question de changer nos identités désormais assignées, pour toujours, plus question de nous lancer la balle de nos prénoms, quelle tristesse, ma sœur. Certaines années j'étais plus jolie que toi, d'autres années c'était toi la plus belle, selon les vilains tours de l'adolescence, la prise de poids, les montées d'acné qui ne nous assaillaient jamais au même moment. Cela nous a séparées, ma sœur, cela et d'autres choses, ne plus tout se dire et l'absence de ton corps pour me prolonger. J'ai sans doute trouvé par la suite des sœurs de remplacement un peu partout dans mes amitiés, mais ces sœurs se révélaient des succédanés, elles avaient un goût de sucre qui ne comblait pas ma satiété, ces sœurs étaient très bien, or je ne pouvais en être nourrie vraiment, profondément, de manière constante. Jamais plus d'exclusivité, ces sœurs de pacotille avaient d'autres amies qui elles aussi avaient d'autres amies. Les amies trompent et mentent en te disant qu'elles t'aiment pour toujours alors que notre sang partagé nous avait assuré une pureté et une indéfectibilité du lien que l'amitié ne permettrait pas, Best friends forever, but let's be honest, let's say qu'en vérité, le forever n'a souvent duré que quelques saisons. Tu ne m'aurais jamais fait ça, n'étions-nous pas les deux têtes de la même statue, ma sœur, nous n'allions nulle part, les pieds soudés sur le même socle, croyais-je, et pourtant les vents de l'adolescence ont soufflé, tant et tant qu'ils ont infléchi le marbre de ton corps et t'ont fait tourner la tête. Il aurait fallu tout contrôler pour que tu continues à me regarder dans les yeux, mon inséparable. Ton regard loin de moi, je n'étais plus couverte par aucune soie, j'avais le corps exposé à toutes les intempéries, seule dans la tempête du cours des jours. Durant l'adolescence, je te faisais encore la lecture parfois, mais vite, et mal, je m'en confesse. Je suis allée chercher mes échappatoires ailleurs, partout, j'ai toujours beaucoup aimé la fête et les garçons, et cela aussi, c'était bon comme le sont les gâteaux, bon pour le moral mais mauvais pour tout le reste. Aux autres j'aurais dû toujours te préférer. Let's be friends forever, ma sœur, et croyons-y pour de vrai, séparons-nous les morceaux d'un pendentif et implantons-nous-les sous la peau pour nous porter pour toujours, puce électronique qui nous retracerait l'une et l'autre peu importe où nous serions de par le monde, ma sœur, mon fil d'Ariane.

Et puis tu as eu dix-sept ans, tu l'as annoncé lors d'un souper de famille, tu foutais le camp. Le bail était signé, tu partais. Tu crissais ton camp, ma crisse qui me quittait. Tu t'en allais, loin de moi, dans le quartier le plus éloigné possible de la maison familiale, quel hasard, n'est-ce pas, et quel abandon. Dans ma gueule. Si j'avais su, m'étais-je dit, j'aurais mieux pris soin de toi, pour que jamais tu ne me laisses seule avec eux, pour que toujours tu restes avec moi. Tu étais la benjamine, ma sœur, mais au jeu de la génétique, là où j'avais hérité d'une certaine douceur, toi tu avais obtenu tout, tout le courage. À dix-sept ans, pas majeure, tu faisais juste assez d'argent pour ne plus jamais avoir besoin de personne, personne d'autre que toi et ta capacité à bosser. Tu n'avais même plus besoin de moi. Nos parents n'ont rien voulu te laisser, aucun meuble, tu as dû tout acheter, de toute façon il fallait bien repartir à neuf, tu as pris tes nippes, au bout de quelques trajets en métro, tu avais vidé la maison familiale de ce qui t'appartenait. Notre mère t'a demandé ta clef de la maison, en te disant, Ici, ce n'est plus chez toi.

Un soir, je t'ai aidée à t'installer dans ta nouvelle maison, dans le grand appartement que tu partageais avec quatre ou cinq colocs, tes amis, que je connaissais très peu. Ce n'était plus comme avant, tes amis n'étaient pas mes amis, avec eux ce ne serait pas pour toujours, avais-je envie de te murmurer, mon aimée, reste-moi. Nos existences évolueraient désormais en parallèle, et j'aurais voulu, pour un temps, nouer les chemins, que nous nous retrouvions à nouveau, statues figées dans le bain refroidi à force d'y passer trop de temps, à l'abri de toute intempérie. Dans ton appartement, ce soir-là, je me suis sentie gauche, tandis que toi, de la cuisine à ta chambre, tu te mouvais avec grâce. J'aurais aimé avoir ta force et que les gens nous confondent toujours ; si quelqu'un m'avait encore appelée par ton prénom, peut-être aurais-je pu me rapprocher encore de toi, un petit pas de plus à chaque méprise. J'aurais souhaité être quelqu'un d'autre, quelqu'un d'autre comme toi.

Puis, alors que nous étions assises à l'écart, j'ai dit timidement que je ne savais pas comment j'allais faire sans toi, là-bas, à la maison, j'étais dépossédée des lieux où tu n'étais pas, et tu m'as répondu, Ici, c'est chez toi aussi, et j'ai su que nous étions sœurs à nouveau, que nous étions sœurs pour toujours. Sisters forever, ma sœur. J'ai terminé la bière que tu m'avais offerte et qui avait tiédi le temps de notre conversation. Je ne t'ai pas prise dans mes bras, nous ne nous étreignions plus jamais, nous qui avions passé notre enfance à nous enlacer, Va embrasser ta sœur, nous nous donnions des becs sur les joues tout le temps. Pas besoin de feindre dans une accolade une éphémère osmose si l'osmose est déjà là, n'est-ce pas. Je ne t'ai donc pas serrée dans mes bras, je suis partie de chez toi, j'ai marché longtemps, ton appartement était loin du métro. J'ai marché et tu n'étais pas à côté de moi, tu n'étais nulle part, et après, je veux dire, encore aujourd'hui, je ne sais pas si les choses ont si bien été pour moi. J'ai claudiqué souvent, mais il s'agit peut-être seulement de me tordre les chevilles, d'aligner mes genoux, mes chevilles et mes pieds pour arrêter de marcher à côté de moi, pour marcher dans mes propres pas.

DE LA MÊME AUTEURE

Royaume scotch tape, poèmes, Éditions de l'Hexagone, 2015.

Direction littéraire : Jean-Michel Théroux

Révision : Véronique Desjardins
Composition et infographie : Isabelle Tousignant
Conception graphique : KX3 Communication

Diffusion pour le Canada : Gallimard ltée
3700A, boul. Saint-Laurent
Montréal (Québec) H2X 2V4
Téléphone : 514 499-0072   Télécopieur : 514 499-0851
Distribution : Socadis

Diffusion pour la France et la Belgique :
DNM (Distribution du Nouveau-Monde)
30, rue Gay-Lussac, 75005 Paris
France
http://www.librairieduquebec.fr
Téléphone : (33 1) 43 54 49 02 Télécopieur : (33 1) 43 54 39 15

Groupe Nota bene
2200, rue Marie-Anne Est
Montréal (Québec) H2H 1N1
info@groupenotabene.com
www.groupenotabene.com

ACHEVÉ D'IMPRIMER
CHEZ MARQUIS IMPRIMEUR INC.
À MONTMAGNY (QUÉBEC)
EN NOVEMBRE 2016
POUR LE COMPTE DU GROUPE NOTA BENE

Ce livre est imprimé sur du papier Enviro 100 % recyclé.

Dépôt légal, 3ᵉ trimestre 2016
Bibliothèque et Archives nationales du Québec
Bibliothèque et Archives Canada